HARCÈLEMENT TEXTUEL

DANIEL LEMIRE

HARCÈLEMENT TEXTUEL

Coupable

Humour

Hurtubise

Catalogage avant publication de Bibliothèque et Archives nationales du Québec et Bibliothèque et Archives Canada

Lemire, Daniel

   Harcèlement textuel

   ISBN 978-2-89723-101-9

   1. Humour québécois. I. Titre.

PS8623.E44H37 2013   C848'.602   C2013-941419-3
PS9623.E44H37 2013

Les Éditions Hurtubise bénéficient du soutien financier des institutions suivantes pour leurs activités d'édition :

- Conseil des Arts du Canada ;
- Gouvernement du Canada par l'entremise du Fonds du livre du Canada (FLC) ;
- Société de développement des entreprises culturelles du Québec (SODEC) ;
- Gouvernement du Québec par l'entremise du programme de crédit d'impôt pour l'édition de livres.

Conception graphique : René St-Amand
Photos de la couverture : Marlène Gélineau Payette
Retouches aux photos de la couverture : Paul Charest
Maquette intérieure et mise en pages : Folio infographie
Photos du chapitre « Voyages (et douane tanaméra) » : Lucie Dufresne

ISBN : 978-2-89723-101-9 (version imprimée)
ISBN : 978-2-89723-102-6 (version numérique PDF)
ISBN : 978-2-89723-298-6 (version numérique ePub)

Dépôt légal : 4ᵉ trimestre 2013

Bibliothèque et Archives nationales du Québec
Bibliothèque et Archives Canada

Diffusion-distribution au Canada :   Diffusion-distribution en Europe :
Distribution HMH   Librairie du Québec/DNM
1815, avenue De Lorimier   30, rue Gay-Lussac
Montréal (Québec) H2K 3W6   75005 Paris FRANCE
www.distributionhmh.com   www.librairieduquebec.fr

Imprimé au Canada
www.editionshurtubise.com

PROGRAMME

LA FAMILLE, LE COUPLE, L'OVULE ET LE RESTE

MÉDECINE

ÉCOLOGIE

ÉCONOMIE

POLITIQUE

INTERMÈDE PUBLICITAIRE

RELIGION

POLICE, JUSTICE
ET AUTRES SÉVICES

LA FAMILLE, LE COUPLE, L'OVULE ET LE RESTE

EN VRAC

Quand les enfants étaient jeunes, nous étions à peu près le seul couple encore ensemble parmi les parents de leurs amis. On leur avait dit : « Aimeriez-vous mieux qu'on se sépare ? Vous devez faire rire de vous à l'école… »

***

Un samedi, mon fils de 18 ans était debout à 11 heures… Je lui ai demandé s'il était somnambule.

***

On parle souvent du laxisme des parents en ce qui a trait à l'éducation et le suivi des enfants… Comme en fait foi ce dialogue entre un père et sa fille :
L'ado : Papa, il faut que je me fasse avorter…
Le père : C'est bien, mais ne rentre pas trop tard.

***

On fête Noël en famille… C'est ce qui arrive quand t'as pas d'amis.

***

Il n'y a rien de plus sacré que la famille, et il n'y a rien qui m'a plus fait sacrer que la famille.

***

Il a dit à sa femme : « On ne va pas se chicaner devant les enfants… Viens dehors, on va régler ça. »

***

On a dit dans le journal que Madonna et moi étions parents… J'espère que c'est elle qui va piger mon nom pour l'échange de cadeaux de Noël prochain.

***

Ma femme et moi vivons ensemble depuis 30 ans… Bon, ça semble beaucoup, mais ça fait 15 ans chacun.

***

On dit que les enfants qui ont une adolescence difficile sont plus intelligents… Je peux vous dire que les trois nôtres sont assez brillants, merci.

***

Au chapitre des difficultés de couple, on se rappelle de Lorena Bobbitt qui avait tranché le sexe de son mari… Il s'en est remis et a même tourné dans un film porno. Par contre, il passait près de s'évanouir quand le réalisateur criait : « Coupez ! »

***

À cinq ans mon neveu pouvait nommer les doigts de la main : le pouce… l'index… le *fuck you*…

LE COUPLE EST-IL SOLUBLE
DANS FACEBOOK ?

On a beau parler de famille, mais il y a de plus en plus de gens seuls, d'où l'émergence des réseaux sociaux tels Facebook. C'est bien, Facebook, mais il ne faut pas toujours prendre le terme « ami » au pied de la lettre. En voici un exemple.

Un couple dans la trentaine, Paul et Laurence, est attablé à un resto chic. Un homme entre dans la salle. Il fait quelques pas puis reconnaît Paul.

Marcel: Tiens… Si c'est pas Monsieur-pète-plus-haut-que-le-trou !

(Le couple se dévisage puis regarde autour sans trop comprendre. Marcel s'avance d'un pas.)

Paul: C'est qui, lui ?

Laurence: Peut-être qu'il vend quelque chose… Est-ce que vous vendez des fleurs ?

Marcel: J'ai-tu l'air d'un bouquet ? C'est à toi que je veux parler, Paul Gauthier… ou plutôt Judas ! Pourquoi tu m'as enlevé de tes amis sur ta page Facebook ? Qu'est-ce que je t'ai fait ?

Laurence : Tu as une page Facebook ?

Paul : Excuse-moi, mais je ne te connais pas...

Marcel : Tu me connais pas ? Franchement, ça fait un an et demi que je suis ton ami Facebook !

Paul : C'est quoi ton nom ?

Marcel : On me surnomme Spiderman...

Laurence : Spiderman, c'est quoi le rapport ?

Marcel : C'est pourtant très simple... C'est parce que je suis toujours sur le web... la toile... C'est pas parce que je mange des mouches, certain... Mais j'aurais dû me douter que tu étais un sans-cœur. Combien de fois je t'ai envoyé des cadeaux sur ta page... Des fleurs, des chocolats, une bouteille de champagne... Jamais tu m'as remercié !

Paul : C'est des cadeaux virtuels... Qu'est-ce que tu veux que je fasse avec ça ?

Marcel : (*dévisage intensément Paul*) Tu vis vraiment dans ton monde, toi...

Paul : Écoute... J'ai fait le ménage dans mes amis Facebook parce qu'avant, j'acceptais n'importe qui... Bref, vu que je te connais pas...

Marcel : Tu m'as flushé ! Et justement, je le prends pas... On ne me rejettera plus comme un vieux kleenex. Tu sauras que j'ai contacté un avocat, et ça se peut que tu aies de très gros problèmes...

Paul : Un avocat !

Marcel : J'ai des droits moi aussi…

Paul : Voyons… Tu peux pas aller en cour avec ça !

Marcel : C'est pas ce que maître Archambault m'a dit…

Laurence : Tu parles de l'avocat de Michèle Richard ?

Marcel : Exactement ! Bon, il a été en radiation… Mais là, il va mieux.

Laurence : C'est parce que la radiation, c'est pas un traitement contre le cancer… Il s'est fait radier du Barreau.

Marcel : Est-ce qu'il y aurait moyen qu'elle ne se mêle pas de ça ? C'est une chicane entre amis…

Laurence : Si je me mêle de ça, c'est parce que je suis sa blonde et que nous fêtons ce soir notre premier anniversaire.

Marcel : Ça m'étonnerait beaucoup, parce que moi ça fait un an et demi que je vais voir sur la page de Paul à chaque jour, et il a jamais parlé de vous… Ah, il y a bien quelques copines, comme la fille du congrès de Québec… Une Latino aussi, tu l'appelais l'acrobate… On n'en a plus entendu parler… Est-ce qu'elle l'a gardé, le bébé, finalement ? Ah, à moins que ce soit toi, *Pain in the Neck* ?

Laurence : Ça va faire ! C'est qui ce crétin-là qui m'insulte ?

Marcel : (*à Laurence*) Tu dois le connaître, il paraît que ça fait un an que tu sors avec… (*à Paul*) C'est elle qui a une sœur qui est assez portée sur la chose ?

Laurence : Tu fantasmes sur ma sœur ?

Paul : Écoute, Laurence… J'avais écrit ça pour faire une blague…

Marcel : Ben oui, il faut entendre à rire, franchement…

Laurence : C'est très drôle ! Donc, c'est vrai ce qu'il raconte…

Paul : Ben…

Marcel : C'est facile à vérifier, j'ai amené mon portable. C'est wi-fi, ici ?

(Il dépose son appareil sur la table et l'allume. Paul referme brusquement le portable.)

Laurence : Je comprends mieux maintenant pourquoi tu tenais tant à venir à tous les repas de famille… Ma sœur était là. Tu dois fantasmer sur mes nièces aussi, tant qu'à y être !

Marcel : Ça dépend… Laquelle ?

Laurence : Je me souviens, tu disais que ça nous ferait du bien de ne pas faire l'amour pendant un bout de temps… Que ça amplifierait notre désir…

Marcel : C'est plus parce qu'il avait attrapé une zizite… Tu disais que ça te brûlait quand tu…

Paul : (*le coupant*) C'est beau…

Laurence : (*fulmine en le regardant droit dans les yeux*) Je vois que je me suis trompée sur ton compte… Tu m'as joué dans le dos depuis le début…

Marcel : Pour la nièce, est-ce que c'est Mélissa ?

Laurence : Toi, l'araignée, étouffe-toi !

Marcel : T'avais raison… Elle a mauvais caractère…

(*Laurence se retourne vers Marcel.*)

Marcel : Est-ce que j'ai dit quelque chose, moi ?

Laurence : (*à Paul*) Tu sais, il y a *pain in the neck* et *pain in the face*…

(*Elle le gifle violemment. Il est abasourdi.*)

Laurence : Moi aussi, tu peux m'enlever de ta liste d'amis.

Marcel : C'est parce que t'étais même pas dedans.

(*Elle le regarde avec mépris et lui ferme l'ordi sur les doigts. Elle sort du resto. Paul reste éberlué.*)

Paul : Elle vient de me flusher…

Marcel : Bon, tu vois… C'est pas le fun !

(*Paul le regarde avec un regard de tueur.*)

UN PEPSY À L'ÉCOUTE

On a tous, un jour ou l'autre, pour le meilleur ou pour le pire, ressenti le besoin de se confier à quelqu'un. Quand c'est à une personne de notre entourage ou un spécialiste, c'est parfois pour le meilleur. Mais quand c'est à un « pepsy » de la radio, c'est souvent pour le pire.

En voici la preuve, par trois, en compagnie du pepsy Edmond Raté.

Pepsy: Je me rappelle… J'ai eu ton âge, aussi… Après ça, j'ai eu 20 ans, puis 25, puis 30, 35… Pis ainsi de suite… Mais je me rappelle, c'était pas facile à cet âge-là. On se pose plein de questions. On a des boutons…

Jeune rocker: Va donc chier! J'ai pas de boutons, moi!

Pepsy: Ah ben, tant mieux… Mais c'est gentil de te préoccuper de ma digestion. Si tu veux, je peux être un ami pour toi. Moi, c'est Edmond Raté.

Jeune rocker: Hey, j'ai pas le goût de me tenir avec des *losers*!

(Le jeune raccroche.)

Pepsy : Ah, c'est bien… Il a l'air plus déterminé. C'est bon, ça. On va essayer une autre ligne… Oui, allô !

Jeune down : (*renifle*) Ouain…

Pepsy : Oui, je t'écoute… (*Le jeune renifle encore.*) Ben là… Si t'appelles juste pour un rhume ! Bon. C'est difficile à dire, j'imagine… T'es dans une mauvaise passe… Tu te sens à part… Je comprends ça. Quand je rêve, je suis même pas dedans… Si ça peut t'aider, je suis déjà tombé bien bas, moi aussi…

À ton âge, je me tenais avec deux-trois gars, des fois, le soir… On allait sonner chez le monde, pis on se sauvait… Sérieux, là… Après ça, eux ont commencé à faire des affaires plus graves… Comme couper des cordes à linge… Mais moi, je trouvais que ça allait trop loin. Je suis rentré dans les rangs. On s'est jamais reparlé. Faut dire que je les avais dénoncés à la police…

Faut pas te laisser aller. C'est sûr que maintenant, c'est pas facile. Y a la pollution, la drogue, le sida… Mais, par contre, les autos sont bien meilleures qu'avant. Pis, y a le sommet de la jeunesse, aussi, qui aide beaucoup…

Mais toi, tu dois être bon dans quelque chose ? La planchette à roulettes, mettons…

Jeune down : C'est parce que j'ai commencé à prendre de la coke…

Pepsy: (*figé*) Ah… Pis, ça va bien? Je veux dire, euh… Je ne crois pas qu'on puisse parler de coke, c'est que l'émission est *Un pepsy à l'écoute*. Non, c'est parce que je connais pas ça du tout. J'ai déjà vu du papier à rouler, une fois… mais pas plus. Alors, si tu veux rappeler demain… Parce que moi je ne m'occupe que des problèmes légers, je suis comme un pepsy diète.

(Le jeune down raccroche.)

Pepsy: On va prendre un autre appel… Oui, allô!

Ado: Salut… Moi, c'est parce que ma blonde est enceinte…

Pepsy: Ah… C'est le fun… Mais êtes-vous prêts à ça?

Ado: Ben… Elle va avoir 14 ans…

Pepsy: Quatorze ans? C'est son premier, j'espère?

Ado: Qu'est-ce que tu ferais à ma place?

Pepsy: Je le sais pas… Je fais juste l'entendre, pis c'est beaucoup. Tes parents, qu'est-ce qu'ils en pensent?

Ado: (*ton menaçant*) Je le sais pas où y sont.

Pepsy: Es-tu allé voir au sous-sol?

Ado: (*de plus en plus menaçant*) J'ai été adopté, le cave.

Pepsy: Ah… Donc, ton père est pas parent avec toi…

Ado : (*encore plus menaçant*) Toi, en as-tu des enfants ?

Pepsy : Es-tu fou ? C'est ben trop de troubles… Euh, je veux dire : ça n'a pas adonné ! Mais pour l'enfant, pensez-y comme il faut… À l'âge que vous avez, même vous autres, vous auriez besoin d'une gardienne… On passe à un autre appel ! (*L'ado raccroche.*) Fiou ! On va en essayer un dernier… Oui, allô !

Troisième sexe : Oui, bonjour. Moi, je suis mal dans ma peau… J'aimerais ça changer de sexe…

Pepsy : Coudon ! C'est moi qui pogne toutes les fuckés !

HOT-DOGS

On parle de plus en plus des problèmes de santé reliés à la malbouffe. Et, malgré ça, aux États-Unis, on organise des concours de « mangeurs extrêmes ». Entre autres, le concours de mangeurs de hot-dogs…

Imaginez, cette année, le gagnant en a mangé 59 en 22 minutes ! Son père devait être tellement fier…

Père : Cinquante-neuf hot-dogs en 22 minutes ! Avais-tu peur qu'ils refroidissent ? Pis pourquoi t'as arrêté à 59, là ? Tu t'es gardé une p'tite place pour le dessert ? J'espère qu'ils te les ont pas fait payer, ces hot-dogs-là… Mais où c'est que t'avais la tête, là ? C'est-tu une tentative de suicide, ça là ? Dis-le, si tu files pas… Sais-tu ce qu'ils mettent dans ces saucisses-là ?

Fils : Tu comprends pas, p'pa… J'vais être dans le *Guiness*…

Père : Ben oui ! À côté du gars qui a mangé 80 hamburgers, là… Ça ne te tentait pas d'essayer de gagner un prix Nobel, à la place ? Si tu veux manger plus santé, prends au moins des pogos. T'as rien qu'à manger le bâton, c'est une bonne source de fibres !

OVULES

L'une des dernières tendances observées est la vente d'ovules. Comme cette industrie n'est pas tout à fait légale, les consommateurs contournent la loi pour en acquérir. Le progrès aidant, on peut même acheter des ovules sur Internet... Mais un bon vieux coup de téléphone au commerçant du coin garde aussi son petit charme.

Un caissier bougon répond au téléphone dans un dépanneur à l'allure douteuse...

Le Père de l'Ovule, bonjour !

(Il regarde dans un congélateur.)

Oui, madame ! On a ça en stock ! Ça peut être in vivo, in vitro, et on a un service de commande à l'auto, in Volvo. Ah, écoutez... J'ai une super donneuse : 38 de buste, le double de quotient... Non, votre mari couche pas avec la donneuse... C'est pas de même que ça marche...

(Il fait des calculs.)

Moi, je peux vous faire ça… Huit mille piasses, livré, installé, toutte. Mettons… Quinze mille pour des jumeaux, tiens… Hein ? Oui, oui, c'est congelé, alors faites les dégeler avant, parce que vous allez faire le saut ! Deux minutes au micro-ondes. Après ça ? Ben vous vous le mettez où je pense. C'est sûr que ça va prendre neuf mois.

(Il regarde le cellulaire, exaspéré.)

Ah, vous ne voulez pas que votre mari le sache ? Dans ce cas là, on est peut-être mieux d'en prendre un moins brillant… Il va se douter de quelque chose…

L'ABC DU BÉBÉ

Un nouveau bébé est une expérience extraordinaire…
encore faut-il savoir bien s'en occuper.
Voici quelques conseils:

Premièrement, que faire quand bébé pleure…

Avant de composer le 911, on regarde ce qu'il a. Par exemple, s'il bouge beaucoup les jambes en pleurant, il souffre de coliques. Et s'il bouge seulement les bras, c'est peut-être que vous le tenez par les jambes. Il faut être attentif.

Ça peut aussi être que bébé commence à percer ses dents, alors on lui donne une aspirine écrasée. Et s'il continue à pleurer, prenez-en deux vous-même.

Mais généralement, c'est que bébé a faim. Ainsi, s'il n'y a plus de caoutchouc sur sa tétine, il est temps de lui donner son lait. Évidemment, on recommande l'allaitement naturel… et maternel, si possible. Si vous ne pouvez l'allaiter, pour une raison, ou les deux… Autrement dit, si ce n'est pas la mère à boire, c'est le biberon.

Si on le sort du frigo, il faut le réchauffer un peu. On ne le met pas à *broil*… Je ne suis pas certain que bébé aimerait son biberon gratiné. Aussi, après avoir bu, il est important de lui faire faire son rot. Pour accélérer le processus, on met un peu de Pepsi dans le biberon…

Deuxièmement, le changement de couche. Pour ceux qui n'ont jamais fait ça, vous allez vous rendre compte qu'il y a une énorme différence entre une couche de fond et un fond de couche. Bébé sera beaucoup plus à l'aise si vous lui mettez une couche propre. Par contre, il faut enlever la vieille avant, et mettre la neuve à l'intérieur du pyjama.

Ensuite, c'est le temps de faire dodo, et pour l'endormir on peut lui lire une belle histoire, comme l'histoire du schtroumpf qui était aux deux… ou Bilbit le hobo… Mais le meilleur est le livre pour enfants de Madonna… Le seul avec la page centrale qui se déplie. Pour une fois, papa ne se fera pas prier pour lire une histoire. Je l'imagine : « Réveille-toi, on va en lire une autre ! »

Puis, plus tard, c'est important de choisir une bonne garderie. Sans ça, il va sortir de là à 45 ans et il va se retrouver devant rien…

***

Parlant de bébé, le couple princier Kate et William a eu son premier rejeton. Ça a dû redonner un peu de joie de vivre à la reine, car dernièrement, ça n'allait pas très bien : elle avait des problèmes intestinaux. Ce n'est pas très étonnant, ça fait 60 ans qu'elle est sur le trône.

Chose certaine, le prince William est beaucoup plus à l'aise que le prince Charles devant les caméras et tout. Le prince Charles est très réservé. Il y a longtemps qu'on le voit, mais on ne le connaît pas beaucoup. Bon, à le regarder, on se dit, d'après moi, c'est un auditif. Et si on regarde sa femme, ce n'est sûrement pas un visuel.

***

L'autre jour je lisais la liste des pires prénoms donnés aux enfants l'an dernier, et le pire de tous est Masturbin. C'est un cas de DPJ.

Je l'imagine plus tard, au travail, avec son patron :

«Je vous présente Masturbin, mon bras droit.»

SPERMATOZOÏDES

Beaucoup de couples ont de la difficulté à avoir des enfants. Afin de cerner les causes de cette infertilité, l'homme doit faire analyser son sperme, une situation pas toujours évidente pour le commun des mortels, et encore moins pour un mortel très commun tel que Edmond Raté...

Edmond se présente au laboratoire d'analyses. Musique d'ascenseur. Ambiance aseptisée. Derrière un long comptoir blanc et glacé, une longue réceptionniste blanche et glacée hausse le sourcil à la vision de ce client visiblement dépaysé.

Edmond : Bonjour, je viens pour le...

Réceptionniste : Pour l'analyse de sperme ?

Edmond : (*tousse, mal à l'aise*) C'est ça...

Réceptionniste : (*sort une fiche*) Vous êtes monsieur ?

Edmond : C'est sûr, sans ça je ne serais pas ici.

Réceptionniste : (*le dévisage*) Votre nom.

Edmond : Ah... Excusez... Je suis M. Raté, Edmond Raté.

Réceptionniste : Bon, il n'y a plus de mine dans le crayon…

Edmond : Pardon ?

Réceptionniste : Auriez-vous un stylo ?

Edmond : Ah… Un stylo… Oui, oui… (*le lui donne*)

Réceptionniste : (*écrit*) Vous avez l'échantillon ?

Edmond : L'échantillon ? Je savais pas que…

Réceptionniste : (*lui donne un assez gros récipient*) Bon, prenez ce contenant. La salle de bain est juste ici.

Edmond : (*prend le contenant*) Pas de danger que ça déborde… (*s'en va mais revient presque aussitôt*) J'ai allumé la lumière et j'ai entendu un gros bruit !

Réceptionniste : Vous avez juste ouvert le ventilateur. Le bouton de la lumière est juste à côté.

Edmond : Ah bon… (*s'en va et revient encore*) Excusez, c'est que la porte ne se verrouille pas…

Réceptionniste : Bien, tenez-la fermée avec votre autre main.

Edmond : Ouais… Aussi, c'est qu'il y a seulement un *Reader's Digest* là-dedans… C'est pas très inspirant. Mais je me demandais si vous aviez pas quelque chose… euh, avec plus d'images…

Réceptionniste : J'ai un catalogue ici. Y a des annonces de costumes de bain dedans.

Edmond : Ah, c'est déjà mieux, merci ! (*revient encore*) Excusez… C'est des costumes de bain pour hommes… C'est pas mon genre.

Réceptionniste : Là, écoutez, voulez-vous que j'appelle la Ligne en fête ?

Edmond : Non, non… J'ai assez mis d'argent là-dedans. J'aurais dû aller au party d'huîtres du bureau d'hier, aussi… En passant, à quelle heure vous fermez ?

Réceptionniste : Dans vingt minutes.

Edmond : Ça vous tente-tu de faire du temps supplémentaire ?

MÉDECINE

EN VRAC

Il y a plusieurs grandes causes de maladies et l'alimentation en est une. Souvent on mange mal, ou on mange trop, ce qui occasionne un assez bon problème d'obésité, particulièrement en Amérique.

Je lisais que dans une ville comme Houston, deux personnes sur trois sont obèses... et le troisième est simplement gros.

***

Petit test pour savoir si vous avez un problème d'obésité : quand vous vous laissez tomber dans votre lit, combien de temps vous rebondissez ?

Aussi, si vous êtes à l'étroit dans un poncho, c'est un signe.

***

Plusieurs compagnies d'aviation exigent maintenant que les personnes obèses achètent deux places dans l'avion... Idéalement, une à côté de l'autre.

***

L'autre jour, je causais avec un ami obèse et j'ai remarqué que non seulement il ne pouvait pas se voir les pieds, mais il ne pouvait pas voir les miens.

***

On mange beaucoup trop de viande en général et plusieurs proposent de manger des insectes, car ils sont très protéinés. Par contre, manger des chenilles peut donner des papillons dans l'estomac.

***

Quelques restaurants offrent des insectes au menu maintenant, ce qui peut occasionner des situations telles que celle-ci :
« Garçon… Y a de la soupe dans mes mouches ! »

***

Il y a aussi tous les aliments manipulés génétiquement, les fameux OGM. Mais ça peut avoir du bon, comme par exemple mettre de l'ADN de grenouille dans les patates les protège des insectes. Sans compter que tu n'as même plus besoin de les faire cuire pour faire des patates sautées…

On peut mettre aussi de l'ADN de Stephen Harper dans n'importe quoi, et ça donne un puissant laxatif.

***

C'est pas très rassurant de savoir que des abattoirs insalubres causent des épidémies comme la grippe porcine, qui venait du Mexique, ce qui fait que c'est plus risqué de manger du porc là-bas. C'est dommage, car ils font un excellent rôti de *por favor*.

J'ai souvent entendu des gens à la retraite dire qu'ils aimeraient y finir leurs jours. Ça peut arriver plus vite qu'ils le pensent…

Plusieurs pays, en réaction à la grippe porcine, ont fait abattre tous leurs porcs. Une chance que ce n'était pas la grippe espagnole…

***

En général, on mange beaucoup trop de viande et ça peut être dangereux pour le côlon. C'est pourquoi je suis allé passer une coloscopie. On vous entre une caméra par l'arrière-train… C'est pas très agréable, je n'ai pas vraiment senti que je passais à la télé, mais j'ai senti la télé passer. Le médecin m'avait dit qu'il me gèlerait avant, mais j'aurais aimé mieux qu'il me gèle l'arrière.

Étant donné que c'est encore assez récent, j'écris debout en ce moment.

***

Une autre source de maladie est le tabagisme. Il est donc interdit de fumer à l'intérieur de tout établissement. Même dehors, il faut se mettre à au moins neuf mètres de la porte, ce qui fait qu'on se retrouve au milieu de la rue. Il est donc de plus en plus dangereux de fumer. D'où le thème : « J'écrase. »

***

Souvent, quand on arrête le tabac, on compense par la nourriture et on engraisse de plusieurs kilos. Puis, quelques semaines plus tard, on recommence à fumer, et on devient un gros fumeur.

***

Personnellement, j'ai arrêté de fumer il y a quelques mois, et quand je tousse, il y a encore un peu de fumée qui sort.

***

Il est de plus en plus important de se garder en santé, car les soins hospitaliers se dégradent, les urgences débordent, le personnel est épuisé... D'ailleurs, j'ai vu mon médecin la semaine dernière et j'ai trouvé qu'il n'avait pas l'air bien.

***

Y a plusieurs solutions pour désengorger les hôpitaux. Ainsi, bientôt, pour une opération mineure, on vous donnera une brochure pour vous l'expliquer et vous pourrez vous la faire vous-même.

***

Il y a un manque flagrant d'hôpitaux et la construction du nouvel hôpital n'avance pas vite. Pour vous donner une idée, ils ont fait la première pelletée de terre il y a quelques semaines et, dans la nuit, quelqu'un est allé remplir le trou. Ça va être long…

***

Depuis quelques années, la médecine a fait de grands pas dans certains secteurs, comme la chirurgie esthétique. Cependant, c'est très coûteux. J'ai une tante qui s'est fait remonter le visage, mais quand elle a reçu la facture, la face lui est tombée.

***

J'ai un ami qui était assez révolutionnaire quand il était plus jeune : il voulait refaire le monde. Il est devenu chirurgien esthétique. Maintenant, il veut toujours refaire le monde, mais un à la fois.

***

Une chirurgie esthétique comporte toujours quelques risques pour le patient. Ainsi, ce n'est jamais bon signe quand c'est l'embaumeur qui finit le travail.

***

C'est bien de se faire refaire des parties du corps, mais il ne faut pas exagérer. Le pire exemple de ce genre d'abus est Michael Jackson. Lors de l'une de ses dernières visites chez son chirurgien, j'imagine ce qu'il a dû entendre :

« Écoute, Alien… euh, Michael, excuse… Je ne sais plus trop quoi faire… Ah ! Je pense que j'ai une idée. Tu es habitué de marcher à reculons avec ton *moonwalk*. Voici ce qu'on va faire : tu vas te laisser pousser le toupet, on te rase l'arrière de la tête et on repart à zéro. »

***

Un autre domaine qui a évolué énormément, c'est celui de la fécondation artificielle. Il y en a plusieurs : il y a la méthode in vivo, in vitro et la plus fréquente, in cognito.

***

Éventuellement, ça va prendre de plus en plus de donneurs de sperme. C'est sûr que c'est un beau geste, mais c'est quand même pas un don d'organe. Par contre, c'est un organe qui fait le don.

***

En Californie, une femme a accouché d'octuplés. Elle avait été inséminée par… un vétérinaire, de toute évidence. Le problème, c'est qu'elle avait déjà six enfants, ce qui lui en fait maintenant 14. Pour les endormir le soir, elle est obligée de leur chanter une berceuse au micro.

Étant monoparentale, elle s'est retrouvée sans-le-sou, à la suite de quoi une compagnie de production lui a offert un million de dollars pour jouer dans un film porno. Ils avaient déjà le titre : *J'allaite à Malibu*.

***

Des miracles s'accomplissent aussi dans le domaine des greffes. L'an dernier, un homme s'est fait greffer un cœur de babouin et ça s'est très bien passé. Malheureusement, il est décédé dernièrement… en tombant d'un arbre.

***

La greffe de cheveux est aussi une avancée importante. Ce n'est pas toujours agréable de perdre ses cheveux et d'être obligé d'avoir un miroir au plafond pour se peigner le toupet… Ou de se faire dire que le casque de bain n'est pas obligatoire… Ou encore de se faire traiter de visage à deux fesses.

***

La science médicale est très présente dans le sport aussi, ce qui a amené un immense problème de dopage. On se rappelle du super athlète Lance Armstrong qui a remporté je ne sais combien de Tours de France. Ils ont commencé à avoir des doutes le jour où un de ses tests d'urine a pris en feu.

***

Un médicament qui a connu une grande popularité ces dernières années, c'est le Viagra. C'est le miracle que plusieurs attendaient.

Mais ça soulève quelques questions, dont celle-ci : quelqu'un qui n'est pas marié et qui prend du Viagra, est-ce que c'est ce qu'on appelle un célibataire endurci ?

***

Il semblerait que plusieurs athlètes se dopent au Viagra. En plus de l'effet connu, il apporte de l'oxygène supplémentaire à l'organisme et aide à mieux performer. Et pour certaines compétitions, ça peut être un plus. Comme le 100 mètres, où la victoire est souvent une affaire de centimètres…

***

Quand on souffre de problèmes érectiles, on doit consulter un bon médecin… ou une très jolie infirmière.

ENCORE UNE ÉTUDE

Chaque jour ou presque, dans les journaux ou sur Internet, on publie de nouvelles études sur la santé, dans le genre : manger du brocoli c'est bon contre le cancer ; manger du chocolat noir, c'est bon contre les effets du soleil sur la peau. Mais on ne donne jamais les sources de ces études.

Dernièrement, il y en avait une qui disait que boire deux verres de vin par jour est excellent pour la santé. Ça fait 14 verres par semaine... C'est quand même beaucoup... surtout si on les boit tous dans la même journée.

J'ai réussi à mettre la main sur les résultats de cette étude...

Monsieur le directeur, voici les résultats de mon étude. Je n'ai pas eu le temps de mettre tout ça au propre, mais en voici les grandes lignes.

Donc, j'ai fait plein de recherches. J'ai commencé par huit verres par jour et j'ai constaté que ça pouvait provoquer des nausées... Dans le sens que j'ai été malade. Puis je suis passé à cinq verres par jour. Mais encore là, j'étais porté à me battre avec tout le monde, et je ne gagnais pas souvent…

C'est là que j'ai compris que deux verres par jour, c'est diguidou. Maintenant, deux verres de quoi ? J'ai essayé la crème de menthe, le schnaps aux pêches, mais c'est le vin qui est le meilleur. J'ai aussi constaté que de prendre deux Tylenol avant de me coucher pouvait aider énormément. On connaît la pilule du lendemain ; ça c'est la pilule de la veille…

Pour ce qui est des effets secondaires, disons que premièrement, j'ai perdu mon permis de conduire, puis j'ai perdu mon épouse… Et là, je crois que je viens de perdre mon emploi.

J'ARRÊTE

Il est très difficile d'arrêter de fumer. C'est pourquoi il est conseillé de consulter un spécialiste. Et si on ne trouve pas de spécialiste, on peut toujours consulter son pharmacien…

Pharmacien : Bonjour monsieur. Je peux faire quelque chose pour vous ?

Fumeur : Oui, je veux arrêter de fumer. On n'a plus le droit de fumer nulle part. Je suis obligé de prendre des congés de maladie pour pouvoir fumer chez nous…

Pharmacien : Vous avez déjà essayé d'arrêter ?

Fumeur : Ben, j'avais arrêté ce matin, mais j'ai eu une rechute ce midi et j'ai fumé deux paquets et demi…

Pharmacien : Ah bon… Ce qui peut vous aider, c'est d'être actif. Vous faites de l'exercice ?

Fumeur : Oui, je fais deux heures de vélo stationnaire par jour. Ça semble beaucoup, mais si tu ne pédales pas, c'est mollo…

Pharmacien : Oui, euh… Un autre truc : prendre un grand verre d'eau… Manger un fruit…

Fumeur: «Manger un fruit»? Veux-tu que je te dise ce que tu peux manger?

Pharmacien: Je vous en prie, restons poli. Il y a aussi la gomme à la nicotine.

Fumeur: J'ai essayé ça, c'est un peu comme mâcher un mégot.

Pharmacien: C'est pas si pire, il y en a à saveur de menthe.

Fumeur: Des mégots, aussi. Mais ça va aller pour la gomme, je me suis acheté pour 300$ de bonbons tantôt.

Pharmacien: Écoutez, il n'y a pas de recette miracle... Selon certains, il est plus difficile d'arrêter de fumer que d'arrêter l'héroïne.

Fumeur: Ah oui? As-tu essayé les deux? Est-ce que je parle à quelqu'un de pire que moi?

Pharmacien: C'est une question de volonté. Moi-même, j'ai arrêté depuis deux ans.

Fumeur: Ah, bravo! Désolé, mais je peux pas t'applaudir, j'ai les mains occupées.

Pharmacien: J'ai pris mon paquet et je l'ai jeté.

Fumeur: C'est sûr... s'il était vide!

Pharmacien: Non, non, il m'en restait une bonne moitié.

Fumeur: Es-tu sérieux? Te rappelles-tu où tu l'as jeté?

VIAGRA

Retrouvons Edmond Raté dans un autre moment privilégié de son existence : au téléphone avec son médecin, en quête d'un tonique pour relancer sa vie de couple de plus en plus platonique.

Alors bonjour docteur Libido… Euh, Bilodeau, pardon ! Excusez-moi, la langue m'a califourché… Enfin, bref…

Voici mon problème… C'est que mon épouse Thérèse est très portée sur la chose et malgré tout mon bon vouloir, l'offre est loin de suffire à la demande… Oui, Thérèse est très sensuelle… Moi, je serais plutôt mensuel… J'ai beau être dans la fleur de l'âge, c'est la tige qui ramollit… C'est sûr que j'ai pensé à d'autres moyens pour m'exciter, mais c'était beaucoup plus cher et pas nécessairement avec Thérèse…

Bon, avant il y avait l'alcool qui me donnait un coup de main, alors j'avais toujours un petit flasque dans la chambre à coucher. Mais maintenant, dans la chambre à coucher, le petit flasque, c'est moi…

Avant d'aller plus loin, j'aurais quelques questions concernant le Viagra… Tout d'abord, on m'a dit que l'effet arrive tout d'un coup… Hum… Donc c'est mieux de porter des pantalons larges… Parfait… Et ça goûte mauvais ? Donc ça fait lever le cœur aussi… Parfait…

Et combien de temps que c'est dur ? Que ça dure, pardon ! Quatre heures ? Oh, Thérèse va se douter de quelque chose… Quatre heures… Toute une couleuvre à avaler ! Mais pour quelqu'un qui est un éjaculateur précoce, c'est long après… Non, non, je ne parle pas de moi… Éjaculateur précoce, franchement ! Je ne suis pas le premier venu…

D'ailleurs, depuis mon jeune âge, j'ai une solide réputation d'étalon… Déjà, à l'école, on me surnommait la patente à gosses, et encore récemment, j'ai offert des performances remarquables… Soixante-cinq minutes un soir, de minuit à une heure cinq… Bon, c'était le soir où on avance l'heure… Je l'ai déjà fait le soir où on la recule, j'ai commencé le 22 et j'ai fini le 21…

Pardon ? Y a un prix à payer ? Vous parlez d'effets secondaires… Ça affecte la vue… Ah, je savais que ça rendait sourd… Donc il ne faut pas prendre ça à l'aveuglette… Mais qu'est-ce que ça fait ? On vient comme les yeux bandés ou… Euh… Pardon ? Je dois passer un examen de la prostate ? Théorique ou, euh…

LE SENS DE L'HOSPITALITÉ

*Les services se dégradent dans les hôpitaux et le jour
n'est pas loin où nous assisterons à ce genre de scène.*

*Une chambre d'hôpital. Un patient est couché, inca-
pable de bouger, car il est dans le plâtre jusqu'au cou.
Un concierge entre avec sa vadrouille en chantonnant.*

Concierge: Pis, la momie, comment ça va
aujourd'hui?

(Le patient geint.)

Concierge: Euh… Ça va pas mieux, là, avec les
médicaments?

(Le patient geint.)

Concierge: C'est parce que des fois, ça prend un
jour ou deux… avant de se rendre compte qu'on
t'a pas prescrit la bonne chose. Écoute, je vais faire
un peu de ménage, pis je vais m'occuper de toi,
OK?

(Le concierge commence à nettoyer le plancher.)

Concierge: Donc, tu l'as pas vu venir, le camion. Je pense que t'aurais été mieux de regarder avant de traverser, parce que tu vas trouver ça long, dans le plâtre jusqu'au cou… Ça me fait penser, j'ai déjà eu le bras dans le plâtre, moi. Ah! Ça piquait, c'était épouvantable. J'étais en train de devenir fou. Le pire, t'es pas capable de te gratter… Est-ce que ça te pique, toi?

(Le patient geint.)

Concierge: Ah? C'est bien ça que je pensais. Mais, idéalement, il ne faut pas que tu y penses…

(Il arrête de nettoyer le plancher et voit les chocolats près du malade.)

Concierge: Oh! Des p'tits chocolats… Ta femme qui t'a apporté ça?

(Le patient geint.)

Concierge: Non, t'es mieux de pas en prendre, toi. Ça va te gâcher l'appétit… Surtout qu'on a des mets chinois à soir. J'ai hâte de te voir manger avec des baguettes, toi… *(rire)* Mais non… On va te donner une paille, voyons donc… Maintenant, nous sommes le premier du mois. C'est le temps du changement de drap. Mais je vais te montrer un petit truc… Attention!

(Il tire le drap comme un magicien.)

Concierge: Ta da! Impressionnant, hein? J'en ai fait tomber du monde avant de réussir ça... Par contre, pour mettre le drap propre, c'est pas évident. Alors, je vais te le laisser ici à côté, tu pourras te le mettre quand tu auras un moment de libre. Je vais aussi te laisser une couverture de laine, parce qu'ils coupent le chauffage la nuit et je suis pas certain qu'ils le remettent le jour...

Patient: *(entre deux geignements)* Docteur!

Concierge: Tu veux voir le docteur? Y a rien de plus facile, regarde: j'ai sa photo, ici. Mais écoute, je vais m'occuper de toi, moi... Je les ai souvent vu faire, ça doit être ton dossier.

(Il consulte le dossier médical du patient momifié.)

Concierge: Alors, on a eu tes résultats d'examen. T'as pas étudié beaucoup. *(rire)* Non, mais, sérieux, t'en as plus pour longtemps...

(Le patient produit des geignements paniqués.)

Concierge: À l'hôpital, je veux dire... C'est pas tellement que ça va mieux, c'est qu'on peut pas te garder indéfiniment. Je dis pas, si tu te rendais utile ou quelque chose... Bon, on va prendre ta température (*prend un thermomètre et le place dans la bouche du patient*). Tu parles pas pendant une grosse minute…

(*Le patient recrache le thermomètre et grogne de dégoût.*)

Concierge: Non! On parle pas! Comment ça, ça goûte mauvais? Oh, excuse-moi, c'est parce que ça va ailleurs, d'habitude. Je vais te donner une petite menthe, ça va t'enlever le goût de l'arrière, ça… L'arrière-goût, j'veux dire… (*regarde le thermomètre*) Mais ta température est ben belle, pis, euh, ils annoncent beau demain, aussi. Bon, on va faire ta toilette… J'vais te mettre du sent-bon.

(*Il l'asperge avec un aérosol.*)

Concierge: Si tu reçois de la visite, tu vas me remercier. Excellent! Alors, il va falloir que j'y aille. Mais sais-tu ce qui t'aiderait? L'homéopathie! Ça, mon homme, là, c'est extraordinaire! J'vais te laisser une p'tite brochure là-dessus, ici. Pis j'en ai une autre sur l'euthanasie aussi, si jamais l'autre t'intéresse pas…

ÉCOLOGIE

EN VRAC

La voiture est une des grandes sources de pollution, et en plus, elle crée d'immenses problèmes de circulation. À Montréal, c'est tellement bouché que ça prend une éternité pour faire deux coins de rue.

Pour vous donner une idée, l'autre soir, ma femme et moi avons décidé de nous faire livrer une pizza pepperoni fromage. Ça a été tellement long qu'elle est arrivée avec des champignons…

***

L'autre jour, j'ai voulu me rendre à ma maison de campagne quand j'ai été pris dans un bouchon interminable sur l'autoroute. Heureusement, le gars dans l'auto à côté de moi me contait des blagues, on a bien ri. Mais j'aurais ri encore plus si j'avais baissé ma fenêtre.

À un certain moment, je n'en pouvais plus d'attendre, alors j'ai fait un *U-turn*, ou virage en U, pour me sortir de là. Malheureusement, il y avait une voiture de police… Ils m'ont arrêté et le policier m'a dit :

« Un virage interdit comme ça, c'est 155 $… »
Je lui ai répondu :

« Bah, vous me paierez ça une autre fois ! »
Il n'a pas ri beaucoup.

***

Dans des mégapoles comme Pékin, la pollution de l'air atteint par moments des sommets inquiétants. On l'a vu lors des Jeux olympiques de 2012, ça a affecté certaines compétitions comme le saut à la perche. On voyait le gars s'élancer dans les airs, on le perdait de vue, et oups, on le voyait retomber. Ce n'était peut-être pas le même qui retombait.

La course à relais aussi, ils ne se voyaient pas, ils étaient obligés de mettre des grelots sur le témoin.

Maintenant, dans ces villes-là, on ne mesure plus la qualité de l'air, mais la quantité.

***

Une des choses qui avaient provoqué mon éveil vis-à-vis de l'écologie s'est passée dans les années 1970. À Cleveland, ville très industrielle, la rivière Cuyahoga qui traverse la ville était tellement polluée qu'elle avait pris en feu. Comment fait-on pour éteindre de l'eau ?

***

Une des grandes causes du réchauffement climatique est l'exploitation des sables bitumineux en

Alberta. La nature y est maintenant d'une laideur absolue. Pour les peintres, c'est l'endroit idéal pour y faire des natures mortes.

***

Les gens sont de plus en plus conscientisés par le recyclage. La récupération, c'est devenu très « in », la preuve : je me suis fait voler mon compost. Il faut vraiment être pourri.

***

Les éoliennes sont un moyen assez propre pour produire de l'électricité. Par contre, beaucoup protestent à cause du bruit, ou encore de la pollution visuelle créée par ces éoliennes. Voilà pourquoi l'idéal serait de les enfouir.

***

Les animaux sont affectés par tout ce qui se passe, que ce soit les changements climatiques, la pollution, la déforestation, et parfois ils réagissent de manière extrême, comme les baleines qui se suicident en s'échouant sur la plage. Ça m'étonnerait qu'elles se soient suicidées parce qu'elles se trouvaient trop grosses...

***

Quand un tsunami s'en vient, les animaux le sentent et se poussent dans les hauteurs. Pour les poissons, on ne sait pas trop comment ça se passe…

***

Depuis quelque temps, on voit de plus en plus de commerces sélects pour chien. Ainsi, il y a maintenant des psychologues pour chien. Votre chien peut être déprimé pour toutes sortes de raisons, entre autres, parce que vous l'avez fait castrer ou que vous avez oublié son anniversaire. Ses tendances suicidaires peuvent le pousser jusqu'à aller boire dans les toilettes.

À New York, on a même ouvert un resto cinq étoiles pour chien. On est loin de « Va chercher le bâton ! ». Je ne sais pas comment ça fonctionne. J'imagine que le chien est assis à sa table mangeant son repas, et que son maître est couché en rond sur le tapis…

L'ARCHE DE NOWAY

On s'inquiète beaucoup de la montée des eaux, entre autres à cause de la fonte des glaciers, etc., etc. Et justement, il y a quelque temps, l'organisation Greenpeace a construit une arche symbolique. Mais, d'après certaines prévisions, d'ici une cinquantaine d'années, il faudra peut-être en construire une vraie, qu'on pourra appeler L'arche de Noway.

La scène se déroule sur le quai d'embarquement pour l'arche. Des cris d'animaux. Noway dirige la circulation.

OK ! On se calme… Pis on ne pousse pas. C'est un à la fois… Bon, où on en est rendu ?

(Une vache meugle.)

Ah ! La vache.

(Le bœuf meugle.)

Tiens, pis le bœuf, aussi. Excellent ! Euh, y a juste une chose avant de monter… C'est que je vais être obligé de vous faire passer un test pour la vache folle. Alors, attention, combien de doigts…

(La vache beugle, puis le bœuf en fait autant.)

C'est beau, mais vous avez été obligés de vous mettre à deux. Je vais être bon prince, vous pouvez monter.

(On entend beugler.)

C'est pas évident, une échelle de corde. Aide-la au lieu de faire ton air de bœuf.

(Rugissement du lion.)

Ah! Le lion.

(Rugissement intense.)

Change de ton, si tu veux embarquer…

(Miaulement du lion.)

Bon, ça c'est mieux. Oui, il était gentil… T'es pas avec ta femme?

(Plaintes du lion.)

Non mais, c'est parce que tu vas trouver ça long sur le bateau… Bon, c'est sûr que j'ai amené des revues, mais c'est jamais pareil.

(Grognement d'une lionne.)

Tiens, la voilà… Entre nous, elle n'est pas très féminine.

(Rugissement intense.)

Non mais, elle est très jolie. Des fois, l'apparence, c'est pas tout. Bon, vous pouvez monter.

(Rugissement du lion.)

Je sens que je vais l'avoir sur le dos tout le long. Bon! Où on est rendu?

(Barrissements d'éléphants.)

Gros abruti, il vient de me boucher une oreille. Oui, oui, les éléphants, ça va aller, montez.

(Noway regarde monter les éléphants.)

Il y a juste un petit détail, quand vous serez sur le bateau, mettez-vous chacun sur votre côté, ça va nous aider pour équilibrer le bateau.

(Barrissement d'éléphants.)

Non, c'est pas parce que vous êtes gros. Je pense à ça, je ne veux pas faire ma langue sale, mais tantôt, le lion a ri de ta mère.

(Barrissement d'éléphant.)

Je peux pas te répéter ce qu'il a dit, c'était tellement vulgaire…

(Barrissement d'éléphant. Noway regarde les éléphants monter.)

Bon! Je pense que mon problème avec le lion est réglé. C'est juste que deux éléphants… Je ne sais pas si j'ai apporté assez d'Imodium. Une chose est certaine, c'était pas une bonne idée de mettre du tapis là-dedans. Ensuite de ça…

(Caquètements de poules.)

Ah! Les poulets… Oui, excellent, excellent! Oui, vous avez le droit d'être plusieurs, c'est une faveur que je vous fais. C'est parce que j'ai toujours eu un faible pour le poulet *(ricanement)*… Oui, montez, montez, et mettez-vous à l'aise, enlevez vos plumes. Installez-vous dans la cuisine. Bon… À part de ça, euh… Les poissons… Ils vont suivre à la nage. Ensuite…

(Renifle une mauvaise odeur.)

Qu'est-ce que ça sent?

(Couinements de mouffettes.)

Des mouffettes… Euh, c'est qu'on est plein pas mal. Alors, vous seriez peut-être mieux d'attendre au prochain voyage.

(Couinements interrogatifs des mouffettes.)

Oui, oui… Je vais revenir.

(Couinements des mouffettes énervées.)

Non, non !

(Noway se fait arroser par les mouffettes furieuses.)

Ça c'est le comble ! J'en connais qui vont être obligés d'apprendre à nager, moi…

LA MÉTÉO DU FUTUR

Les changements climatiques sont vraiment à l'ordre du jour. Refroidissement par-ci, réchauffement par-là, smog, montée des eaux, c'est un peu inquiétant, tellement qu'on se demande de quoi aura l'air la météo, dans 25, 30 ans.

Bulletin d'un monsieur Météo de l'avenir...

Bonjour (*ton très enjoué*)! Bienvenue au Canal Météo! Eh bien, aujourd'hui, on a une belle journée! Vraiment une journée youpdlaïdou, tiguidou laï laï! On a un beau soleil, par contre, la visibilité est nulle, dû à un smog très, très dense. D'ailleurs, pour les gens qui ont des difficultés respiratoires, si vous êtes obligés de sortir, on vous conseille de marcher à quatre pattes.

D'ailleurs, ça me fait penser à une bonne blague... Oups, malheureusement on n'a pas le temps. Bon, ce matin, la marée basse était à 5 h 37, la marée haute sera à 14 h 32, et pour le reste de la journée, ce sera la marée noire.

Donc, en résumé, du soleil, par contre, en fin de soirée, peut-être un peu de pluie acide. Donc, profitez-en pour recharger vos batteries.

Allons voir pour les destinations vacances. Pour ceux qui veulent une destination soleil, il y a la région de Sept-Îles, où on affiche un beau 34 Celsius, avec du soleil. Et, en ce moment, avec l'ouverture du nouveau Club Med, et les palmiers qui sont en fleurs, c'est vraiment le moment idéal pour s'y rendre. Par contre, avec la montée des eaux, il serait préférable de louer une chambre au troisième étage.

Pour ceux qui préfèrent la Gaspésie, c'est très beau aussi. Il y a du soleil, la mer est calme, profitez-en pour aller faire de la plongée, question d'aller voir le rocher Percé. Par contre, il y a quand même un danger de malaria dans les environs. Alors, il faut être prudent!

Pour ceux qui auraient le goût de vacances de ski, il y a la région de Cuba qui a reçu un bon 50 centimètres de belle poudreuse. Et, étant donné que la mer est gelée tout autour, on peut même s'y rendre en voiture. Et profitez-en, un coup rendus là-bas, pour participer aux festivités entourant l'anniversaire de Fidel Castro, qui aura 116 ans cette année. Alors, bonne fête, Fidel!

En ce moment, dans la plupart des lacs et des rivières, le mercure indique 34 degré Celsius... À plus tard!

HUMMER

C'est assez incroyable à quel point le nombre de véhicules automobiles a augmenté depuis une dizaine d'années. Évidemment, ça crée toutes sortes de problèmes au niveau de la circulation et de la pollution… Plus particulièrement au niveau des véhicules les plus pollueurs, comme des Hummer, par exemple. Et, justement, en Suède, ils leur font payer un prix exorbitant pour les plaques d'immatriculation. Surtout si le propriétaire ne peut pas prouver que c'est absolument essentiel pour son travail. Disons qu'on aimerait voir ce genre de mesure par ici…

Imaginons un fonctionnaire zélé qui reçoit l'appel d'un fier propriétaire de Hummer…

Oui, bonjour, c'est pour quel genre de véhicule? Un Hummer? C'est quoi, l'idée? Vous trouviez qu'un Winnebago, c'est trop petit?

Franchement, vous allez défoncer le protocole de Kyoto à vous tout seul! Vous saviez qu'il y a deux réservoirs d'essence après ça? Alors, à moins d'avoir votre propre usine de raffinage, ça va faire mal! Mais c'est votre choix… Par contre, pour un véhicule de ce genre-là, je suis obligé de vous poser quelques questions, afin de savoir si c'est absolument nécessaire pour vous d'avoir ce véhicule. Sinon, il va y avoir des frais.

Alors, pensez-vous participer prochainement à une guerre ? Non ? Alors, je coche « non ». Faites-vous du transport scolaire ? Non plus. Et pour aller travailler, êtes-vous obligé de vous promener dans ça d'épais de vase ? (*Il montre une distance d'un mètre avec son bras.*) Non plus !

Si je comprends bien, c'est seulement pour jeter de la poudre aux yeux ? Vous savez, pour prouver votre virilité, il y a le Viagra maintenant. Vous vous sentez invincible là-dedans ? Ça ne vous tentait pas de vous acheter une petite cape avec des collants ? Alors, vu que c'est un véhicule « inutilitaire », il va y avoir des frais.

Aussi, vu que c'est un gros véhicule, là, vous allez être obligé de repasser un examen de conduite, un examen de la vue et, probablement, un examen psychiatrique aussi !

ÉCONOMIE

EN VRAC

Plusieurs experts disent que l'économie va mieux…
J'en doute, car mon voisin s'est fait reprendre ses
meubles par le magasin. Est-ce que c'est ça, la
« reprise économique » ?

**

Les États-Unis sont tellement dans la dèche qu'ils
songent à faire faillite et à repartir le pays sous un
autre nom.

**

Un des problèmes est que le citoyen moyen n'a
plus les moyens d'être citoyen.

**

Selon les statistiques, un Américain sur trois risque
de connaître la pauvreté, c'est-à-dire de rencontrer
les deux autres.

**

En ces temps d'austérité, il faut prendre des
mesures. Ainsi, mon hypothèque venant à échéance,
j'ai décidé de ne pas la renouveler.

***

Je ne suis pas certain de l'honnêteté de notre compagnie d'électricité. L'autre jour, j'ai eu une panne et le compteur continuait à tourner…

***

Quand on pense qu'une compagnie comme General Motors a presque fait faillite, ça laisse un goût amer dans la bouche. Ce qui est normal, car ils fabriquaient des citrons.

Un autre fabricant d'automobiles qui en a arraché, c'est Toyota. Ils ont été obligés de rappeler des millions de voitures, car l'accélérateur coinçait. Ça peut être assez dangereux… Imaginez que ça vous arrive dans un lave-auto, vous allez ressortir assez sec.

***

Beaucoup de gens ont perdu leur emploi à la suite de réductions de personnel. Ils ont eu droit à une prime de départ, mais rendus chez eux, ils ont eu une déprime d'arrivée.

L'ABC DE LA FRAUDE AVEC MONSIEUR X

On sent que beaucoup de gens ont perdu confiance dans le système économique, et la fraude en est la cause principale. Plusieurs fraudeurs s'en sont assez bien tirés.

Voici d'ailleurs l'entrevue d'un fraudeur qui vit maintenant sur une île au soleil. Appelons-le Monsieur X…

Journaliste : Donc, c'est la première entrevue que vous donnez depuis que vous avez été trouvé coupable de fraude ?

Monsieur X : Euh, je vous arrête tout de suite, j'ai jamais été déclaré coupable : j'ai seulement été accusé.

Journaliste : Oui, mais c'est seulement parce que vous vous êtes sauvé avant votre procès.

Monsieur X : J'ai évité le procès dans un but humanitaire. Pensez-vous que ça aurait été agréable pour tous les gens qui se sont fait bais… euh… de revivre tout ça ? Je crois qu'ils ont assez souffert. Et c'est un procès qui aurait coûté très cher. Donc, en évitant cette dépense, j'ai remboursé une bonne partie de ma dette.

Journaliste: Hum, hum. Mais, visiblement, dans ce scandale, vous n'avez pas trop perdu.

Monsieur X: Non, j'ai été chanceux, j'ai retiré mon argent juste avant que ça plante. Mais j'en avais pas beaucoup.

Journaliste: Pourtant, vous avez une superbe propriété.

Monsieur X: Ah, ça? C'est pas à moi, elle est au nom de Pompon.

Journaliste: C'est qui, ça, Pompon?

Monsieur X: C'est mon chien.

Journaliste: Vous avez mis la maison au nom de votre chien?

Monsieur X: Oui, et l'auto aussi. Ils sont pas mal plus lousses, ici.

Journaliste: C'est pour ça que vous êtes installé en République dominicaine pour un bon bout de temps?

Monsieur X: Un peu, oui. Parce qu'en plus de ne pas avoir de traité d'extradition, c'est un pays qui offre plein de possibilités. Et jusqu'ici, ça se passe bien, je m'intègre de plus en plus dans la communauté, j'ai fait un don à l'école du village. Je ne sais pas trop ce qu'ils ont fait avec ça, mais j'ai vu que le maire avait une voiture neuve. Il faut toujours les surveiller, ils sont tellement voleurs. Par contre, ça a réglé mon problème de zonage.

Journaliste : Je vois ici que vous vous donniez un salaire de 200 000 dollars par mois, si j'ai bien compris, plus un super compte de dépense de la compagnie.

Monsieur X : Oui, pis j'essayais d'arriver avec ça. C'est sûr qu'y a des fins de mois qui venaient vite, mais un gars se fait un budget.

Journaliste : Ça m'apparaît beaucoup d'argent, quand même.

Monsieur X : C'est ce qui avait été voté par le C.A.

Journaliste : C'était qui le C.A. ?

Monsieur X : Ben, y avait Pompon, sa sœur…

Journaliste : Votre femme aussi, j'imagine ?

Monsieur X : Oui, mais elle avait voté contre, elle. Ça a créé un froid. C'est même pour ça qu'on s'est séparés. C'est pas facile, ça non plus, de recommencer sa vie avec une jeune femme de 20-22 ans, belle comme un cœur. Il faudrait juste qu'elle apprenne à lire et à écrire.

Journaliste : Mais revenons-en à l'affaire. Vous avez aussi abusé de gens âgés.

Monsieur X : Oh, un instant ! C'est pas moi, ça… Je suis tellement dédaigneux.

Journaliste : Pardon ?

Monsieur X : Ah, tu parlais d'argent ?

Journaliste : Selon les accusations, vous avez pigé allègrement dans l'argent qui vous avait été confié.

Monsieur X : Oui, mais ils avaient été avertis dès le début… Je leur avais dit : « Je vais m'occuper de votre argent comme si c'était le mien. »

Journaliste : Vous ne semblez pas regretter quoi que ce soit.

Monsieur X : Ah, vous ne me croirez peut-être pas, mais ça m'arrive d'avoir de la peine.

Journaliste : Je ne vous crois pas.

Monsieur X : J'aurai essayé…

POLITIQUE

EN VRAC

Il pourrait aider énormément son parti… s'il se présentait pour l'adversaire.

***

Le maire de Laval a été forcé de démissionner suite à un mini scandale. Il avait fait venir des escortes et les avait accueillies habillé en femme. Il a eu une prime de départ de 170 000 $ et un bon d'achat de 200 $ chez Victoria's Secret.

***

Aux dernières élections, il y avait tellement d'affiches de différents partis que les gens étaient un peu mêlés… La preuve : dans mon comté, c'est un agent d'immeuble qui a été élu.

***

Dans certains pays, vous pouvez dire ce que vous voulez, du moment que personne ne l'entend.

***

L'an dernier, les fonctionnaires fédéraux ont dépensé des centaines de millions en frais de voyage. Le pire est qu'ils sont revenus.

***

Un dignitaire québécois qui assiste à un des fameux discours fleuve de Fidel Castro :

« Est-ce qu'il en a encore pour longtemps ? Ça fait quand même cinq heures et demie… C'est pas que c'est pas intéressant, mais ça aiderait si je comprenais l'espagnol. Il me semble qu'il l'a dit tantôt, ça… J'espère qu'il n'y aura pas une période de questions. Bon, on dirait qu'il a fini… Pourvu que les gens n'applaudissent pas, il est capable de faire un rappel… »

***

L'ancien sénateur de Californie, Arnold Schwarzenegger, a eu un enfant avec une de ses assistantes, et avec la poitrine qu'il a, je crois que c'est lui qui l'a allaité. Le problème étant que ladite assistante était mariée. Il me semble de voir son mari lui demander des comptes :

« Dis-moi c'est qui ? C'EST QUI ? ? ? Schwarzenegger ? Ça va aller pour cette fois-ci… »

***

Le premier ministre du Canada, M. Stephen Harper, a créé une commotion lors du premier discours de Barack Obama devant l'ONU. Au lieu d'assister au discours, il est sorti pour s'acheter des beignes. Toute une prima donut!

Deux questions à se poser : Harper qui mange des beignes, est-ce du cannibalisme? Et peut-on dire que M. Obama a prêché dans le dessert?

***

On peut dire que les Talibans sont des anti-Occident.

***

Certains pays sont sous-développés, et d'autres sont développés saouls.

DISCOURS

Mes chers amis, depuis quelques semaines je suis victime d'accusations aussi fausses que mensongères, et je suis outré. Et moi quand on me zoutre, je me défends.

Vous savez, je suis encore chef de mon propre parti, mais certains préféreraient que je sois parti de mon propre chef. Plusieurs disent qu'à cause de la mauvaise situation économique, nos cerveaux quittent le pays. Bon, c'est dommage ; par contre, ça me donne beaucoup plus de chances d'être réélu.

J'ai pourtant un bilan exemplaire. Grâce à mes politiques, il s'est créé encore plus de fortunes au pays. On peut dire que tel Jésus, j'ai fait la multiplication des pleins.

On a retrouvé notre capacité d'emprunter. C'est de le remettre qui sera moins évident. Mais c'est quand même extraordinaire, comparé à certains autres pays comme la Grèce qui se retrouve sans-le-sou. On dit souvent que manger du poisson rend plus intelligent, il faut donc croire que la Grèce exporte tout ce qu'elle attrape.

On m'a accusé aussi de ne pas être ouvert aux autres races, ce qui est complètement faux. J'ai toujours admiré entre autres des gens de race noire tels Martin Burger King, ou encore Mendelssohn Mandela. J'ai aussi toujours été en faveur du filet de porc islamique, euh... Du port du foulard islamique.

J'ai visité des pays comme le Myanmar, qui est un pays que je ne savais même pas qu'il existait. Un pays où les gens n'ont pas la liberté de parole. Mais ça, la liberté de parole, c'est très surestimé. Comme moi, je l'ai, et je ne peux pas dire que ça m'aide beaucoup.

C'est-à-dire que je manie bien le verbe, c'est avec le sujet que ça va moins bien. Le Myanmar, c'est quand même un pays où les gens peuvent être emprisonnés pour leurs idées. Ici, nous sommes à l'abri... des gens qui ont des idées.

Il ne faut pas oublier que dans une société aussi contemporaine que la nôtre, le nombre de personnes qui ne travaillent pas augmente sans cesse, et sans compter tous ceux qui n'ont pas d'emploi. Il y a beaucoup de jeunes chômeurs et d'autres qui étudient pour le devenir, alors il nous faudra faire des sacrifices. Et je ne parle pas d'immoler des animaux à la pleine lune.

C'est pourquoi je suis prêt à plonger tête première, quitte à me faire mal aux épaules, afin de redresser la situation. Soyez assurés que je ne marcherai pas la tête entre les jambes, j'ai l'odorat trop développé pour ça, et je ne me laisserai pas marcher sur les pieds, pour la bonne raison que je suis à genoux.

En disant cela, je mets ma tête sur le billot, mais je n'ai pas grand-chose à perdre. N'oubliez jamais que je pourrais gagner beaucoup plus d'argent en allant travailler dans le privé. Mais justement : est-ce que j'ai le goût de travailler ?

Bien à vous, et pas tout à moi,

Votre premier ministre

UNE IMAGE QUI FAIT FÜHRER

On dit souvent que les politiciens et les personnages publics sont devenus trop aseptisés, trop politically correct. *Il faut dire que tout ce qu'ils font est profondément analysé par des spécialistes en relations publiques. Des fabricants d'image, comme on les appelle. Mais j'aurais aimé ça les voir travailler avec des cas plus lourds…*

La scène se passe dans le bureau personnel d'Hitler, entre le führer et son spécialiste en image.

Spécialiste : Bon ! Je vous ai regardé aller pendant une semaine, M. Hitler, et j'ai noté des p'tites choses. Premièrement, là, faudrait que vous vous rendiez plus sympathique, comme votre idée de vous faire photographier avec des jeunes de toutes sortes de races, là, c'était bien. C'est juste que, y aurait fallu les détacher avant de prendre la photo, parce que ça laisse une drôle d'impression, quand même. Et euh, ah oui, votre idée d'une race supérieure… Franchement ! Moi j'en parlerais pus de ça, parce que, quand on vous regarde, c'est pas très crédible.

Hitler : (*aboie en allemand, ton fâché*)

Spécialiste : Bon, moi, du monde qui crie, j'suis pas capable. Non mais c'est vrai, quand vous parlez, on dirait que vous êtes tout le temps en crisse. On dirait que les fils se touchent. Une p'tite dose de Ritalin, peut-être ? Vous avez encore un p'tit peu d'écume ici…

Hitler : (*aboie en allemand, ton fâché*)

Spécialiste : (*regarde sa montre*) Il est 6 h 20 (*regarde ses notes*). Ensuite de ça, on parlait de votre allure, tantôt, quand vous faites votre espèce de salut (*fait le salut nazi*). Franchement, ça fait un peu rigide… Vous savez, un p'tit signe de la main, ou un clin d'œil, ça fait la job. Et votre moustache, je mettrais la hache là-dedans. La barre noire en dessous du nez, ça fait pas propre. Bon ! C'est pas mal tout. Comment on s'arrange pour l'argent ?

Hitler : (*aboie en allemand, ton fâché*)

Spécialiste : (*rit*) S'cusez si je ris, c'est parce que avez-vous vu *Le Dictateur*, de Charlie Chaplin ?

Hitler : (*aboie en allemand, ton fâché*)

Spécialiste : Ben là, si vous voulez parler en fou.

(*Le spécialiste se lève et s'en va, insulté. Hitler continue à aboyer en allemand.*)

Note : Les obsèques du spécialiste ont eu lieu le lendemain.

LES JOIES DE LA POLITIQUE

On se demande souvent pourquoi il n'y a pas plus de personnes de valeur qui se présentent en politique. La raison pourrait résider dans le harcèlement médiatique dont les politiciens font l'objet. On se rappelle entre autres de Bill Clinton, lors de l'affaire Lewinski, ou du candidat démocrate John Edwards, qui avait été obligé de démissionner pour cause d'adultère.

Voici un exemple des affres que doivent subir les politiciens, de nos jours… Un ministre est assis à son bureau, son chef de cabinet entre.

Chef : Bonjour, monsieur le ministre.

Ministre : Bonjour, Paul. Comment ça s'annonce aujourd'hui ?

Chef : Disons que j'ai une bonne et plusieurs mauvaises nouvelles pour vous.

Ministre : Commencez par les mauvaises.

Chef : Je vais commencer par la moins mauvaise. Tout d'abord, vous êtes invité à un lancement ce soir.

Ministre : Ah, c'est bien !

Chef : Jusqu'à un certain point, monsieur le ministre. C'est votre ex-femme qui sort un livre.

Ministre: De quoi ça a l'air?

Chef: Bien, juste le titre: *Ma vie avec un éjaculateur précoce*…

Ministre: C'est pas vrai!

Chef: Je l'ai lu, c'est pas mauvais. Évidemment, ça risque de faire jaser. Aussi, vous avez reçu cette enveloppe.

Ministre: C'est quoi?

Chef: Des photos compromettantes de vous avec la femme du juge Grondin. Il en demande 5 000 $…

Ministre: 5 000 $?!?

Chef: Je lui ai dit que c'est beaucoup trop cher, on peut les faire développer ailleurs pour beaucoup moins. En plus, elles sont en noir et blanc, et un peu floues. Par contre, celle où vous êtes debout sur le piano est remarquable.

Ministre: (*impatient*) Oui, oui, c'est correct.

Chef: Aussi, étant donné que vous venez d'être nommé ministre, la sécurité a fait une enquête sur vous.

Ministre: C'est pas un problème, je suis blanc comme neige.

Chef: Vous, peut-être, mais pas vos enfants. Il y a votre fille qui s'est fait prendre pour vol à l'étalage.

Ministre: Elle a dû voler un paquet de gomme…

Chef: Pas vraiment, elle s'est fait prendre à la bijouterie Cartier.

Ministre: Mais quand, ça?

Chef: Je n'ai pas tous les détails, mais il y a un excellent article là-dessus dans le journal. (*Il le lui tend.*) C'est à la page 4, c'est intitulé: «Tel père, telle fille». Juste à côté de la critique du livre de votre ex. Et ça ne regarde pas très bien: c'est le juge Grondin qui s'occupe de la cause.

Ministre: Pourquoi elle a fait ça? On lui donne tout ce dont elle a besoin…

Chef: C'était pour aider son frère à payer ses dettes de drogue, ils en parlent dans l'article. Suite à ça, la police est allée fouiller chez vous, mais ils n'ont rien trouvé. Évidemment, ils ont mis ça un peu à l'envers. Défaire des murs, ça fait toujours un peu de dégât. Par contre, votre appartement est maintenant à aire ouverte.

Ministre: Avant que je me suicide, c'était quoi ta bonne nouvelle?

Chef: Votre adversaire a demandé un recomptage.

Ministre: T'appelles ça une bonne nouvelle?

Chef: Pensez-y, tout à coup que vous n'avez pas été élu…

INTERMÈDE PUBLICITAIRE

MENTHOLIN

Des problèmes avec votre haleine? Vous avez
l'haleine du matin 24 heures par jour? Le peu
d'amis qui vous reste vous surnomment la gousse
d'ail, ou, pire encore, l'insecticide? Même vos
dents n'en peuvent plus? Vous en êtes réduit à
parler du nez pour ne pas écœurer les autres? Vous
êtes obligé de fréquenter les poissonneries pour ne
pas que ça paraisse? Vous réussissez à faire fuir les
témoins de Jéhovah seulement en ouvrant la
bouche?

Vous savez, on peut masquer une mauvaise
odeur par une autre, mais c'est pas toujours une
bonne idée d'enlever ses chaussures. C'est pourquoi je vous recommande la gomme Mentholin.
Prenez-en une et vous sentirez la différence, et
pour les cas extrêmes, ceux dont l'haleine fait
décoller la tapisserie, prenez le paquet au complet!
Même votre estomac sentira bon.

Enfin, vous pourrez sourire la bouche ouverte...

EUTHANASIA

On parle souvent du vieillissement de la population dans la plupart des pays industrialisés. C'est pourquoi on songe de plus en plus à légaliser l'euthanasie. Par contre, si ça se fait, on ne pourra pas faire euthanasier son voisin parce qu'il nous tombe sur les nerfs, ça va prendre au moins un papier du médecin.

Si l'euthanasie devient légale, il faudra être prudent. Admettons que vous allez à l'hôpital pour une opération mineure, et que vous tombez sur un médecin dyslexique, vous verrez qu'il n'y a pas une grosse différence entre euthanasie et anesthésie.

J'imagine qu'il y aura des firmes spécialisées qui se mettront à éclore... Imaginons une de leurs pubs :

Vous savez, l'euthanasie sera bientôt légale, et chez Euthanasia, nous sommes prêts ! Notre personnel spécialisé se fera un plaisir de vous aider à choisir le forfait idéal pour votre fin de vie. Par exemple : soyez la victime d'une vraie soirée meurtres et mystères. Imaginez la surprise de vos amis... Ou encore : mourez en héros... en participant au défilé de la fierté gay à Kaboul. Vous n'en reviendrez pas !

Et si vous appelez tout de suite pour réserver votre forfait, nos téléphonistes, des immigrées illégales à deux dollars de l'heure, sont prêtes à prendre votre appel. De plus, les 10 premières personnes à appeler se mériteront un ensemble de couteaux à steak d'une valeur de 69,95 $! Hâtez-vous!

Pensez-y, fini les réunions de famille pour l'éternité! Et c'est aussi le meilleur moyen pour arrêter de fumer!

Chez Euthanasia, quand la nature ne fait pas son travail, on est là pour l'aider!

RELIGION

EN VRAC

Jésuite avec des tendances : un analjésuite…

***

On fête Noël de plus en plus tôt… On ne fête plus la naissance de Jésus, mais son échographie.

***

Un *grilled cheese* avec la figure de la Vierge a été vendu sur eBay 28 000 $… Il faut dire que c'était offert avec des frites et un Coke.

***

Le pape a eu une Ferrari en cadeau. Disons que je n'embarquerais pas avec lui. D'ailleurs, ce serait bien de nommer un pape plus jeune à un moment donné… Par exemple, un qui aurait encore son permis de conduire.

***

Sur le site Internet des raëliens, on lit que Jésus a été cloné, mais j'ai l'impression que c'était une erreur : Jésus a été cloué.

Parlant de Raël, il était sur le même vol que moi et je lui ai dit :

« Avec les contacts que vous avez, c'est étonnant que vous soyez obligé de prendre l'avion… »

***

Les religions tentent de répondre à des questions comme : qui nous a mis sur Terre, et pourquoi voulait-il se venger ?

***

De tout temps, les gens ont voulu savoir d'où on vient, où on va… Maintenant, avec le GPS, la religion est moins nécessaire.

***

Au Vatican, la sécurité est assurée par les zouaves suisses… Un zouave suisse, est-ce un pléonasme ?

***

Comme disait un apôtre à Jésus à l'aube de ses 33 ans :

« Tu as encore de belles années devant toi. »

L'APPEL AU VATICAN

Saint-Pierre-de-Rome. Salle immense et richement décorée. Un personnage un peu précieux derrière un bureau monumental répond à un téléphone plaqué or avec sa main pleine de bagues en or.

Oui, le Vatican, bonjour. Vous voulez parler au pape ? Des hosties au pain brun avec ça ? Écoutez, je ne pense pas que ce soit possible. Vous êtes en train de mourir ? Vous appelez pas juste pour ça, j'espère. Vous êtes le parrain ? Le parrain de qui ? Oh, *le* Parrain, oui... (*change de ton et d'attitude*) C'est un honneur. Qu'est-ce que je peux faire pour vous ?

Vous voulez nous laisser toute votre fortune ? Très bien, mais vous savez, l'argent, c'est pas tout, ici, on a tous fait vœu de pauvreté. Mais on parle de combien ? On parle bien de millions ? Bien, et en échange, vous voulez vous confesser. Pas de problème, pour ce prix-là, on peut vous élever une statue.

Pour la canonisation, il faut voir, mais on est assez ouvert. Écoutez, malheureusement, le pape n'est pas disponible en ce moment, mais je peux m'occuper de vous. Oui, je peux lui texter votre confession tantôt. Vous êtes bien certain de mourir ? Oui, allons-y avec votre confession…

Vous avez été très violent ? Vous savez, ça arrive à tout le monde. Moi-même, il y en a qui se confessent, des fois, je les fesserais. Et même Jésus, rappelons-nous qu'il avait chassé les vendeurs du temple à grands coups de sandale.

Vous avez vendu de la drogue ? Il faut bien gagner sa vie. Dieu condamne l'oisiveté.

Parlant de gagner sa vie, pour l'argent dont vous parliez tantôt, comment on fait ça ? Oui, oui, la confession… Continuez.

Vous avez fréquenté des prostituées ? Je vous rappelle que Jésus a fréquenté Marie-Madeleine, c'était pas mal pareil.

Vous avez eu plein d'enfants illégitimes… Des petits garçons ? On va sûrement pas vous reprocher ça.

Vous avez tué des gens ? Arrêtez donc de vous noircir, je suis certain que c'était pas méchant. Dans le fond, c'est peut-être juste de la sélection naturelle, ou de l'euthanasie préventive. Oui, l'Église condamne l'euthanasie, mais il ne faut pas être plus catholique que le pape.

Mais tout ça, vous devez le regretter ? Un peu ? Je vais prendre ça pour oui. Alors, c'est fait, vous êtes pardonné.

Maintenant, pour l'argent, est-ce que c'est écrit quelque part ce que vous nous donnez ? Je sais bien, mais si vous mourez là, on peut se retrouver avec rien. Bien, on a beaucoup de dépenses, la papemobile est encore au garage, et le nouveau pape veut une nouvelle crosse en or. Oui, l'autre commence à avoir de l'usure, et on n'a jamais trop de crosses…

Et aussi, on donne beaucoup d'argent aux jeunes. Combien ? Ça dépend des procès…

PARLONS PAPE

Ce qui me gêne le plus chez les conservateurs, c'est qu'ils ont plein de ministres très religieux, et je parle d'une religion comme le créationnisme... Les créationnistes ne croient pas à la théorie de l'évolution et quand tu les regardes, tu peux comprendre. Ils ont des membres de l'Opus Dei, aussi. Pour vous donner une idée, eux autres ils trouvent le pape trop lousse. Et justement, parlons-en du pape.

J'espère qu'il a les pieds propres, parce qu'il se les met souvent dans la bouche de ce temps-là. Y a eu l'histoire en Afrique où il disait que l'usage du condom propageait le sida. Peut-être qu'il pense que tout le monde prend le même... Mais récemment, le pape a permis l'usage du condom, mais seulement dans des circonstances très spéciales, comme dans le cas d'une érection par exemple.

Ensuite, le Vatican a déclaré, lors de la Journée de la femme, que la chose qui a le plus fait avancer la cause de la femme, c'est la machine à laver. Il faut avoir du front quand même, ça ressemble à une blague de beau-frère. J'aurais dit ça à ma blonde, j'aurais passé la nuit sur la corde à linge.

Non mais, si on fait le bilan de leurs actions depuis quelques années, ils sont un petit peu dans le champ. Entre autres, ils ont fait le code de la route pour les catholiques, avec des commandements comme : le conducteur doit toujours faire son signe de croix avant de partir. C'est rassurant pour les passagers, ça, tu dois avoir l'impression de te faire conduire par un kamikaze…

Ensuite, ils ont aboli les limbes. Coupures budgétaires, j'imagine. Et aussi, ils ont réhabilité Galilée, qui avait été excommunié il y a 400 ans parce qu'il disait que la Terre était ronde. Et le lendemain qu'ils l'ont réhabilité, ils ont dit qu'il n'y avait pas de sexe au ciel. Pauvre Galilée, il venait d'arriver. C'est là qu'il a compris que la Terre est peut-être ronde, mais que le ciel est plate.

Ils sont en perte de vitesse. Il faut dire que Benoît XVI n'avait pas le même charisme que Jean-Paul II. D'ailleurs, un peu plus, ils engageaient un taxidermiste pour qu'il dure plus longtemps.

Quand Benoît XVI a été nommé, la première chose qu'il a faite, ç'a été de mettre *Le Code Da Vinci* sur la liste noire. Bonne idée, il s'en était déjà vendu une vingtaine de millions. Moi, je l'ai pas lu, mais je sais qu'on insinuait là-dedans que Jésus avait été marié avec Marie-Madeleine. Bon, ça se peut, et justement j'imagine une scène de ménage entre les deux, un soir que Jésus est rentré tard :

« Te v'là ! Belle heure pour arriver ! Je suppose que t'es encore allé changer l'eau en vin avec tes chums ! Où c'est que t'étais ? Au Jardin des oliviers ? C'est quoi ça, un restaurant grec ? Je penserais pas, moi… (*Elle le sent.*)

« Je pense plutôt que t'es allé sur la montagne, tu sens le calvaire. Pourquoi tu me le dis jamais où tu vas ? C'est comme tes 40 jours dans le désert… Me prends-tu pour une valise ? Monsieur disait qu'il était allé jeûner. Me semble que t'étais à jeun ! Rappelle-toi la brosse que t'as virée la fin de semaine de Pâques, ça t'a pris trois jours pour t'en relever. Aller jeûner, c'est pas ça que Judas m'a dit. Oui, il est bizarre, mais il est moins téteux que tes autres chums. Tes apôtres, si t'aimes mieux.

« D'ailleurs, parlant d'eux autres, les gens jasent. Douze gars du même village qui se tiennent toujours ensemble… Au cas où tu le saurais pas, ils vous appellent les Village People.

« Mais là, y va falloir que ça change, j'en peux plus. Je passe mes grandes journées dans la maison, parce que depuis que monsieur a chassé les vendeurs du temple, je suis barrée au centre d'achat, pis c'est moi qui fais toute.

« T'as beau être né dans une étable, tu vas m'aider pour le ménage. Pis une autre affaire : à partir d'à soir, l'âne et le bœuf couchent pus dans notre chambre, c'est clair ? Pis demain si tu penses sortir encore avec Pierre, Jean, Jacques, tu peux faire une croix là-dessus ! »

LES 72 VIERGES

Évidemment, il y a toutes sortes de croyances sur la vie après la mort… Parmi les plus étranges de ces croyances, certains extrémistes islamistes, les kamikazes, croient qu'ils seront accueillis au ciel, après leur sacrifice, par 72 vierges. Même que, avant de se faire sauter, ils se mettent sept-huit paires de slip pour se protéger le monsieur. Des sous-vêtements Fruit of the boom, j'imagine…

Je serais curieux de voir comment ça se passe, quand ils arrivent au ciel…

Bonjour monsieur. Oui, oui, vous êtes au bon endroit, c'est juste que je remplace saint Pierre, il fait un burnout. Il ne va pas très bien depuis qu'il a lu *Le Code Da Vinci*… Votre nom ? Babrak Zarhawar ? Vous arrivez sûrement pas de la Beauce… Euh, je vais vérifier sur ma liste.

(Il tape le nom sur le clavier de son ordi.)

Ah, vous êtes pas sur la liste. Vous êtes mort comment ? Vous êtes un kamikaze ? On ne parle pas du drink ? Parfait. Donc, vous vous êtes fait sauter. Avec une bombe artisanale. J'imagine que vous avez pris ça au salon des métiers d'art de Kaboul? Vous deviez être dans la branche terroriste folklorique Youkaïdi Al-Qaïda. (*rire*)

Ah, votre nom vient de rentrer. C'est bien ça, Barnak euh… Je vais vous appeler Boum Boum, ça va être plus simple.

Vous voulez une chambre face à La Mecque? C'est parce que la Terre tourne, vous allez être obligé de changer de chambre à toutes les heures. Ils vous ont promis que vous auriez 72 vierges rendu ici? Qui vous a promis ça? Allah? Vous avez pas son nom de famille? Étiez-vous à jeun quand ils vous ont promis ça? Vous ne buvez jamais d'alcool? Mais en Afghanistan, y a aussi l'héroïne, l'opium… Ah, c'est juste pour l'exportation.

Je peux bien vérifier, mais 72 vierges, c'est beaucoup. On en a plein qui l'ont pas fait souvent, mais vierges… Les voulez-vous blondes avec les yeux bleus tant qu'à y être? Écoutez, je sais pas trop quoi faire avec ça, alors je vais appeler mon superviseur. Profitez-en pour visiter la salle d'attentat, d'attente, je veux dire.

(*Il appelle son supérieur.*)

Oui, c'est moi. Écoute, j'ai tout un cas ici, un qui s'est fait sauter, pis là il veut s'envoyer en l'air. Il veut 72 vierges, une affaire de rien. Ben, j'ai vérifié dans le registre, pis j'arrive à 18, en comptant mère Teresa. Oui, j'ai regardé dans les nouveaux arrivants, mais je suis toujours pas pour lui proposer Guilda. Attention, il revient. OK, je m'en occupe.

Ah, monsieur Boum Boum! (*ton mielleux*) Écoutez, pour les 72 vierges, j'ai regardé ça, pis j'arrive à 17. C'est loin de 72, mais ça fait quand même une bonne rotation. Fâchez-vous pas, c'est juste que c'est pas une place pour swinger, ici. Ça joue de la harpe, ça se pogne le beigne sur son nuage. On est loin des partys de Guy Laliberté. Oui, il s'est quasiment rendu une fois.

Peut-être que vous vous êtes trompé de place. Je veux pas me faire l'avocat du diable, mais en enfer, c'est pas mal plus olé olé. Vous n'aurez pas plus de vierges, mais justement, le problème dans votre affaire, c'est que même si je vous trouvais 72 vierges, y a rien qui dit qu'elles seraient intéressées, parce que je vous regarde, pis je sais pas si les hommes devraient pas être voilés aussi.

(On entend la sonnerie du téléphone.)

Excusez-moi. Oui, allô? Oh, OK. (*Il raccroche.*) Euh, c'est que vos victimes arrivent, et je suis pas sûr qu'elles ont le goût de vous voir. Alors, vous devriez aller à votre chambre. C'est dans une nouvelle section, c'est pas le paradis, mais oui, on a Internet, mais basse vitesse. C'est ça, *sky is the limit…*

POLICE, JUSTICE
ET AUTRES SÉVICES

EN VRAC

Il y a eu le procès du forcené qui était monté dans la structure du pont Jacques-Cartier, provoquant sa fermeture et un embouteillage monstre. Nous sommes vraiment cools, on a fermé le pont pour le faire descendre. Aux États-Unis, ils l'auraient descendu pour ne pas fermer le pont.

**

J'ai lu cette manchette dans le journal: «Cannibale, il recrutait ses victimes sur Internet.» Alors, si tu rencontres quelqu'un pour la première fois et qu'il te dit: «Je t'ai fait couler un bon bain chaud, est-ce que ça te dérange si je mets des petites patates dans le fond?», méfie-toi.

**

Un homme accusé de contrebande a été condamné à 24 millions de dollars d'amende ou 18 mois de travaux communautaires. Il a demandé s'il avait un autre choix.

**

J'imagine un procès pour bestialité :
Avocat : Avouez que vous vous promeniez nue devant lui à la journée longue...
Vache : Meuh !
Avocat : Vous avez beau nier...

***

Dans certains pays musulmans, pour une accusation de vol, l'accusé se fait couper la main... Ce qui fait que le taux de récidive est très bas.

Les femmes coupables d'adultère peuvent être condamnées à être lapidées. Une chance qu'on ne fait pas ça chez nous, on manquerait de pierres !

***

Après les dernières émeutes, un policier a déclaré : « On leur a lancé des gaz lacrymogènes, pis après, ils viennent pleurer. » D'où le slogan : « Aux larmes, citoyens ! »

***

Au Grand Prix de Formule 1 de Montréal, le coureur noir Lewis Hamilton a gagné la course. Par contre il s'est fait arrêter tout de suite après, les policiers étaient certains que c'était une voiture volée.

***

Dans une ville de banlieue près de Montréal, le chef de police voulait débarrasser son service des pourris, ou ripoux. Suite à son action, il a reçu 200 appels de menace. Il ne pouvait pas appeler la police, c'étaient eux qui appelaient...

***

Un juge s'est fait prendre à se masturber pendant un procès aux États-Unis. On savait que la justice avait le bras long, mais à ce point-là... Il avait une notion très personnelle de l'expression *habeas corpus*.

On savait que la justice est aveugle. Avec ce juge-là, on a su qu'elle sera aussi bientôt sourde.

***

Un autre juge s'était prononcé sur une cause alors qu'il était en état d'ébriété. On s'en est aperçu quand il a acquitté le jury. En plus, je crois qu'il s'est frappé sur les doigts avec son maillet.

***

Un homme est entré dans un resto McDonald. Il voulait se faire servir, mais il était complètement nu. La jeune fille a refusé de le servir, elle se doutait

bien qu'il n'avait pas un sou. Par contre, ça aurait été le temps de lui demander :
« Un chausson avec ça ? »

***

J'aurais un bon slogan pour le pot au volant :
« Si vous conduisez, roulez prudemment ! »

ÉTHIQUE JURIDIQUE

À la cour, un avocat y va d'une ultime plaidoirie avant l'énoncé du verdict.

L'avocat : Membres du jury, mesdames et messieurs, très cher accusé, tantôt vous allez rendre votre verdict mais, auparavant, laissez-moi vous démontrer que l'acte d'accusation, à l'image de mon client, ne tient pas debout.

Selon le rapport de police, mon coupable, mon CLIENT, pardon, aurait été pris au volant de son véhicule, avec les facultés t'affaiblies. Oui, « t'affaiblies »… Je fais comme si c'était le policier qui lisait. J'arrête ça tout de suite, car il est facile de constater, même pour vous, que mon client n'a pas besoin de boire pour avoir les facultés affaiblies.

Donc, mon client aurait été pris, avec les facultés affaiblies, au volant de son véhicule, à plus de 80 km/h, à reculons, dans une cour d'école primaire, pendant la récréation. Et, s'il faut en croire le même rapport, il aurait renversé ou blessé un nombre indéterminé d'élèves. C'est pas plus précis que ça. D'ailleurs, c'étaient des élèves que personne connaît.

Mais ce qui est beaucoup plus grave, c'est que lors de son arrestation, mon client aurait été tutoyé, voire insulté par les policiers. Alors, je crois que si on laisse passer une pareille bavure, Dieu seul sait jusqu'où les policiers iront dans l'assouvissement de leurs plus bas instincts.

J'aimerais aussi attirer l'attention du jury sur le fait que bien que mon client soit Sagittaire, il a un dossier judiciaire vierge. C'est sa première offense, les autres fois, il ne s'était pas fait prendre. Et il a absolument besoin de son permis de conduire, étant chauffeur d'autobus scolaire.

(Sa voix se fait tremblante.)

Membres du jury, je sais que plusieurs d'entre vous ont une famille, ou même deux. Donc vous ne pouvez rester insensibles, à moins d'être pourris rares, au fait que mon client est un père de famille exemplaire, qui est allé jusqu'à se louer un appartement ailleurs afin de laisser plus de place à sa famille. Cet homme est issu d'un foyer brisé.

Son père le battait, sa mère était euh… nymphomane, c'est rare. Et lui-même est victime de son orientation sexuelle. Car, oui, membres du jury, mon client est lesbien ! Oui, il est aux femmes. Voilà peut-être le vrai motif de son arrestation !

Pour toutes ces raisons, je ne crois pas que ça donne quoi que ce soit de le condamner à la prison. C'est pourquoi je réclame L'ACQUITTEMENT, car si sa femme l'a quitté, le juge aussi devrait l'acquitter…

Membres du jury, je ne vous importunerai pas plus longtemps. Mais je voudrais que vous sachiez que tout ce que nous voulons, mon client et moi, c'est que justice soit vendue, euh, RENDUE !

Et j'ose croire que le fait qu'il soit un ami intime des motards et qu'il s'appelle Alexandre Morini, et qu'il soit armé en ce moment n'influencera en rien votre jugement. J'ai confiance en vous. Je vous remercie à l'avance.

Ce sera tout, monsieur le juge.

Le greffier : Nous donnons maintenant quelques instants au jury pour débilérer, délébi… pour réfléchir. Tout en vous rappelant qu'il reste encore d'excellentes places pour le procès de demain. À tout de suite. (*Un moment plus tard.*) Oh, le temps est écoulé. Votre verdict, s'il vous plaît, d'une voix claire et forte. Coupable, ou non coupable ?

Le jury : Monsieur le président, nous déclarons l'avocat non coupable !

L'avocat : (*à l'accusé*) Inquiète-toi pas, on va aller en appel !

RÉCLAMATION(S) À L'ASSURANCE

Les assurances Bédard, bonjour. C'est pour une réclamation? Un feu, un accident, un vol? Les trois? Avez-vous fait venir la police? Y ont pas voulu y aller? C'est à quel nom, l'assurance? Les Hells Angels. C'est votre raison sociale?

D'accord, j'ai votre dossier ici. Vous êtes inscrit comme une compagnie d'import-export à but non lucratif. C'est bien ça? Parfait, ça me prendrait votre nom. Péteux? C'est un surnom, j'imagine? Non, j'aime mieux ne pas savoir pourquoi ils vous appellent comme ça. Mais ça me prendrait votre vrai nom. Oui, alors, Didier Kovanofsky, Kovany, euh, Kavano. Je vas mettre Péteux, ça va être plus simple.

Alors monsieur Péteux, qu'est-ce qui s'est passé? Votre shack a été détruit et il y a eu pour 680 000 $ de dommages? C'était quel genre de shack, au juste? Non, c'est vrai, c'est pas de mes affaires. Je le sais pas ce qui m'a pris de vous demander ça, non, ça arrivera pus. Non, c'est beau, je vais me frapper moi-même, tantôt. Non, vous n'avez pas besoin de venir, je ne me manquerai pas.

Mais vous m'avez pas dit ce qui est arrivé… Ça a explosé. Êtes-vous au gaz, monsieur Péteux?

Bon, je vais prendre vos réclamations en note, allez-y. Cinquante costumes de danseuses nues? Elles ont été capables de faire leur spectacle quand même? Parfait, alors, je vais mettre une verge de tissu, et avec le reste elles se feront des rideaux. Ensuite, douze bicycles. C'était quoi? Des bicycles de montagnes ou… Oui, je la ferme ma gueule. Ensuite, des poignards? Euh, je vais mettre une coutellerie, ça va être plus facile à passer. Écoutez, les cuillères et les fourchettes, vous les jetterez.

Ensuite, vous avez perdu six kilos? Je vous félicite. J'ai une belle-sœur qui essaie de perdre cinq livres depuis des années. Non mais, ça prend beaucoup de volonté. Vous êtes sûr qu'y a pas de pédales après vos bicycles? Pis c'étaient où, les kilos? Autour de la taille ou… Dans une valise? C'était à part, comme ça. Et ça valait une couple de millions. On ne parle plus de graisse, là. Je vais le noter quand même, mais ça va être pas mal plus dur à faire passer. Ça va être tout pour les dégâts matériels?

Parfait, alors en partant, pis ça c'est pour tout le monde, je dois vous dire qu'il y a un déductible de 250$. Comment? Ouais, c'est vrai qu'on peut se cotiser au bureau. C'est rare qu'on fait ça, mais là on va le faire. Ah, pis je vais le payer, moi. Aussi, on va envoyer quelqu'un pour vérifier tout ça. Oui, mais même si vous lui cassez les deux jambes, il va nous ramener les preuves de vos pertes, et à partir de ça, on va enclencher le processus de règlement de compte, euh, de remboursement, je veux dire.

Ça vous prendrait l'argent pour demain matin ? Oui, je comprends que ça fait trois mois que vous payez des primes. Pardon ? Non, le gars qui vous a assuré ne travaille plus ici. Il a été mis dehors le lendemain. Non, ça n'a rien à voir.

Mais je pense à ça, j'ai oublié de vous demander, est-ce que vous avez subi des dommages corporels ? Vos tatouages ont fondu ? Donc vous êtes devenu sans dessin…

TABAC

On sait tous que les compagnies de tabac sont assez limites, côté légalité. Et, justement, j'imaginais un représentant d'une de ces compagnies qui comparaît à une commission d'enquête sur la santé publique. Disons qu'il a dû se retrouver à court d'arguments assez vite.

Le procureur de la poursuite dépose son volumineux dossier sous l'œil du représentant de la compagnie, assis dans le box des accusés...

Procureur: Monsieur Phaneuf, votre compagnie est sûrement au courant que plusieurs études scientifiques vous sont très défavorables.

Phaneuf: Des études scientifiques, ça veut rien dire. Y a déjà eu une étude qui démontrait que la Terre était plate.

Procureur: Dans ce cas-ci, il a été prouvé, hors de tout doute, qu'il y a plus de 200 produits toxiques par cigarette.

Phaneuf: Mais c'est pour ça qu'on met un filtre!

Procureur: Vous avez traité le tabac pour qu'il crée une dépendance pire que l'héroïne.

Phaneuf: On est toujours pas pour nous reprocher de mettre un p'tit goût de «revenez-y» dans nos produits. Pis, à part de ça, vous parliez d'études scientifiques… J'en ai une ici, qui a démontré qu'il est moins dommageable de fumer la cigarette que de boire un p'tit verre d'acide à batterie.

Procureur : D'où ça vient, cette étude-là ?

Phaneuf : De, euh, une université américaine, là, de l'Iowa. (*Il regarde ses notes.*) L'Ohio… *I owe you* ?

Procureur : Vous saviez aussi que le tabac peut rendre impuissant ?

Phaneuf : Mais c'est pour ça que le monde fume après ! Non mais, s'il n'y a plus la cigarette après l'amour, y va rester quoi ? L'orgasme ? J'en connais un méchant paquet qui vont se retrouver les mains vides.

Procureur : Vous déviez du sujet.

Phaneuf : Je sais bien. C'est ça l'idée.

Procureur : Pour en revenir au tabac… Autre point négatif contre vous : les jeunes fument beaucoup. Bientôt, vous allez les chercher dans les garderies !

Phaneuf : Non, pour nous, le futur marché, c'est le tiers-monde, des pays comme l'Afrique, l'Asie, l'Inde. Sont pas mal moins têteux, là-bas.

Procureur : Mais vous trouvez pas ça épouvantable ?

Phaneuf : Ben, c'est sûr que c'est pas drôle. Ça se peut que je sois transféré là…

COLIS SUSPECT

Avec l'avènement du terrorisme à l'échelle internatio-
nale, voyager est devenu plus compliqué. Et justement,
cette paranoïa peut causer des erreurs, comme par
exemple à l'aéroport de Londres, qui avait été fermé
pendant plusieurs heures à cause d'un colis suspect qui
s'était avéré être un jouet sexuel. Alors, il y en avait
plusieurs qui s'étaient fait baiser, finalement…

    Voici un compte rendu de la scène. Le contrôleur est
en conversation téléphonique avec un supérieur et tient
le colis suspect dans son autre main.

Chef, on a mis la main sur le colis suspect.

(Regarde le dildo.)

C'était pas beau à voir, quand on a sorti ça des
poubelles, y a une collègue qui s'est évanouie. Ah,
c'est vraiment un coup en bas de la ceinture. Oui,
ça aurait pu tuer du monde, un à la fois. Quel genre
d'engin ?

(Il regarde le dildo.)

C'est difficile à dire. C'est comme un genre de patente à gosses. Ah, il aurait pu se faire sauter avec ça.

(Il scrute attentivement le dildo sous tous les angles.)

Ben, c'est fait en Chine, mais ça aurait pu être acheté n'importe où. Non, c'est pas relié à Al-Qaïda, c'est relié à deux batteries. Oui, y a des empreintes, mais pas vraiment digitales. Non, ç'a pas été revendiqué. D'après moi, le gars qui a fait ça, il va rester discret, il va s'asseoir dessus. On n'a pas pris de chances, vu qu'on savait pas trop c'était qui, on a arrêté une cinquantaine d'immigrés. Ouais, il nous en reste une dizaine à tabasser pis on devrait être bon pour rouvrir l'aéroport dans quelques heures. Vous voulez que je l'apporte ?

(Il regarde le dildo.)

Regardez, on prendra pas de chances, on va le faire sauter dans le parking, tantôt. Je ne voudrais pas vous mettre en danger. OK, on se revoit tantôt. Salut, chef.

(Il éteint le cellulaire et considère longuement le dildo.)

Je pense à ça, c'est la fête à ma femme, demain. Je pense que je viens de trouver son cadeau.

AUX DOUANES ET À L'ŒIL

Le gouvernement fédéral a décidé de resserrer la sécurité aux frontières canadiennes.

Voici un enregistrement des nouvelles directives adressées aux employés de la douane par un représentant du gouvernement…

Bonjour à vous, repos.

Je suis votre nouveau surintendant, et ma mission est de rendre les douanes canadiennes semblables à celles des États-Unis. Ils accueillent pas les gens avec le sourire, eux autres… Ils leur font peur. C'est certain que pour les gens qui arrivent d'ailleurs, ça fait pas très accueillant, mais on est pas dans Douaniers sans frontières.

Nous allons aussi adopter la liste noire des pays ennemis des États-Unis avec, entre autres, l'Afghanistan, l'Iran, l'Irak, la Lybie, le Liban, la pelle à steam, et plusieurs autres pays où j'irais jamais.

Comme vous voyez, c'est pas une question d'haïr une race ou une couleur plus qu'une autre, mais de les haïr toutes également.

On va fouiller tout ce qui est musulman, islam et *inch allah*. Bref, tous ceux qui ont l'air d'être en pyjama, c'est automatique : fouille intégrale. Vous allez voir qu'une bonne fouille à nu, ça vous refroidit son terroriste, surtout si on garde les gants au frigo.

Je suis certain que vous vous dites que ça risque de créer des scandales, des fouilles à nu systématiques comme ça. Je croirais pas, car ça se fera dans les normes. S'il est pointé vers La Mecque, on est correct. En passant, pour les fouilles à nu, vous autres, vous gardez votre linge. Il y a une limite à faire souffrir le monde.

Alors, je pense qu'on a fait pas mal le tour. J'espère que je vous ai fait comprendre qu'il ne faut pas relâcher notre surveillance. C'est pas parce qu'on est à l'aéroport de Mont-Joli qu'on va se permettre un relâchement...

LA DROGUE AU VOLANT

On a légiféré sur l'alcool au volant et on parle de faire la même chose pour la drogue, ce qui a du sens, car ça peut aussi altérer les facultés. Par contre, ce sera plus difficile à juger pour les policiers. L'alcool, ça sent et le gars parle tout croche, mais le pot, c'est moins évident. J'imagine le policier…

Pouvez-vous baisser votre vitre, s'il vous plaît ? Oh, ça sent les épices. Non, non, ça sent pas le petit sapin vert. Pis vous avez les yeux rouges avec ça. Pardon ? Ah, vous êtes albinos ? Je me sacre ben du pays d'où vous venez. Non, moi je pense que vous avez pris des substances psych… spych… psycho-tropes ! Non, je le répéterai pas.

Mais je vais vous passer un petit test pour voir. Fermez donc votre radio… Entendez-vous encore de la musique ?

SEXE, DROGUE
ET ROCK AND ROLL

EN VRAC

À San Francisco, on a organisé un masturbathon. C'est-à-dire que des gens se masturbaient devant un public payant et l'argent amassé était remis à des bonnes œuvres. C'est une manière originale de donner un coup de main.

Cette année, le champion est un Japonais qui s'est masturbé pendant neuf heures et demie. C'est certain que c'est plus long avec des baguettes…

Mais neuf heures et demie, soit c'est un étalon, soit il n'a aucune imagination. En tant que public, je ne sais pas si je serais resté jusqu'à la fin. Surtout qu'on se doute bien comment ça finit. Bref, il a gagné, on lui a demandé un rappel et il est parti à pleurer.

***

Il y a eu un incendie dans un cinéma porno, les gicleurs n'ont pas fonctionné, et je ne parle pas des clients. Les gens ont été évacués. Donc, pour ceux qui ont manqué la fin du film *Esthéticiennes en chaleur*, ils ne se marient pas à la fin.

***

En Hollande, il y a une nouveauté pour les clients de maisons closes : la prostituée qui allaite… Il y a un supplément si le client veut aussi des petits biscuits.

***

Se faire opérer pour changer de sexe, c'est ce qui s'appelle « se donner un genre ».

TÉLÉPHONE ROSE

*Le service de téléphone rose est moins populaire main-
tenant, mais parfois, ça peut encore servir.*

*Sonnerie de téléphone, musique érotique. Un mes-
sage d'ambiance se fait entendre…*

Voix enregistrée : Vous avez bien joint L'amour
par oreille… Patientez un instant, une de nos jolies
réceptionnistes s'occupera de vous… À tout de
suite…

Gars nerveux : C'est bien parti, même le répon-
deur a l'air sexy.

Réceptionniste : Allô chéri. J'suis contente que tu
m'appelles.

Gars nerveux : Ah, tant mieux ! Avoir su, j'aurais
appelé avant. Par contre, je dois dire que j'ai appelé
surtout parce que mon Internet ne fonctionne plus.

Réceptionniste : Tu as une belle voix, chaude,
sensuelle.

Gars nerveux : Moi ?

Réceptionniste : Je t'imagine grand, blond, le
teint bronzé.

Gars nerveux: Euh, je crois que vous vous êtes trompée de numéro.

Réceptionniste: Mais c'est toi qui appelles, mon chou.

Gars nerveux: Ah! Ben oui!

Réceptionniste: De quoi veux-tu qu'on parle? Qu'est-ce qui t'excite?

Gars nerveux: Disons que je ne suis pas trop le genre fouet ou menottes. À la rigueur, un peu d'égratignures dans le dos, mais rien de trop *heavy*.

Réceptionniste: As-tu une partenaire sexuelle?

Gars nerveux: On peut dire que oui.

Réceptionniste: Qu'est-ce qu'elle fait en ce moment?

Gars nerveux: Elle tient le téléphone.

Réceptionniste: As-tu déjà fait ça à plusieurs?

Gars nerveux: Vous parlez d'un appel conférence?

Réceptionniste: Non, ce que je veux dire, c'est: es-tu déjà allé dans un club échangiste, par exemple?

Gars nerveux: Oui. Je suis allé une fois. Assez spécial, j'étais tombé sur une espèce de Ilsa la louve des SS. Ça pince, un fouet. Elle m'a obligé à me mettre à genoux, à me traîner à ses pieds, à lui lécher les mains. Moi qui étais allé là pour oublier mon travail… Mais j'étais allé mollo, à cause de ma vasectomie.

Réceptionniste : Une vasectomie ?

Gars nerveux : Ouais, disons que c'est pas une opération grave, à moins de le faire soi-même. Ça fait trois-quatre ans de ça, mais c'est encore très sensible. D'ailleurs, faudrait bien que j'aille me faire enlever mes points de suture.

Réceptionniste : Laisse tomber la vasectomie. Aimerais-tu ça que je te dise comment je te ferais l'amour ?

Gars nerveux : Si ça ne vous dérange pas.

Réceptionniste : Je me vois dans un bar, j'ai une jupe en cuir, fendue jusqu'aux oreilles, avec une blouse transparente.

Gars nerveux : C'est où, ce bar-là ? Donnez-moi l'adresse, je peux être là dans cinq minutes.

Réceptionniste : Non, non, c'est des choses que j'imagine.

Gars nerveux : Ah ! Il me semblait que ça se pouvait pas, aussi.

Réceptionniste : Laisse-toi aller. Donc, je serais au bar, tu viendrais t'asseoir sur moi.

Gars nerveux : Donc, le bar est plutôt plein.

Réceptionniste : Oui, oui. Ensuite, je t'offrirais un verre.

Gars nerveux : Moi, j'aime mieux que chacun paye ses choses, comme ça, si jamais ça marche pas, on se doit rien.

Réceptionniste : Puis je te proposerais d'aller chez moi. On s'étendrait devant le foyer.

Gars nerveux : Moi aussi, j'en ai un foyer au chalet. Mais j'ai seulement du bois vert, cette année. Ça brûle tellement mal. Où vous le prenez, votre bois ?

Réceptionniste : Laisse faire le bois, chéri. Ensuite, je te déshabillerais lentement.

Gars nerveux : En autant que c'est devant le foyer. Parce que je suis très frileux, je viens la goutte au nez à rien.

Réceptionniste : Je te baisserais ton slip avec mes dents.

Gars nerveux : Tu vois, je ne suis pas capable de faire ça, moi. Non, c'est parce que j'ai un partiel en avant.

Réceptionniste : Et ensuite, je m'attaquerais au plat principal.

Gars nerveux : Vous ne prendriez pas une p'tite soupe, avant ?

Réceptionniste : On pourrait prendre une douche avant, si tu veux. Je te savonnerais partout. C'est quoi ta partie la plus sensible ?

Gars nerveux : Les genoux. Comme quand c'est humide, c'est effrayant. C'est pour ça que la douche, je suis pas sûr.

Réceptionniste : (*râles de jouissance*) Aah… Aaah…
Aaaah… Aaaaah !

Gars nerveux : Faites-vous de l'asthme, vous ? Ça
vous prendrait une pompe. Mais, prenez-en une,
douche. Moi, je vais être obligé de vous laisser
là-dessus, ma mère vient d'arriver, mais j'ai trouvé
ça bien, le sexe au téléphone. C'est plus sécuritaire
pour les maladies. Quoiqu'on dirait que j'ai un
début d'otite…

BEATLES

L'année dernière est décédé quelqu'un qui a été célèbre malgré lui… Il s'agit du producteur de disques qui avait refusé de signer les Beatles. Ça se met bien dans un CV.

Quelque part en 1962, en Angleterre, dans le bureau d'un producteur…

Producteur: Bon, là, j'ai pas beaucoup de temps, qu'est-ce que vous voulez?

Beatles: Vous êtes venu voir notre show, l'autre soir.

Producteur: Ouais.

Beatles: C'était une super soirée, on a eu quatre rappels.

Producteur: Je sais pas, je suis pas resté jusqu'à la fin.

Beatles: Vous auriez dû voir ça. C'était le délire, ça criait, ça dansait!

Producteur: Ben, c'est sûr que quand tu joues devant tes amis, ta famille…

Beatles: En plus, on arrive d'une tournée en Allemagne. Le monde aimait tellement ça qu'ils grimpaient après les murs!

Producteur : Non, mais regarde, c'est pas un critère, ça. Les Allemands, ils adorent l'accordéon pis ils boivent de la bière à la chaudière…

Beatles : En plus, on fait nos propres compositions.

Producteur : À votre place, je m'en vanterais pas.

Beatles : Chaque chanson est signée « Lennon/McCartney ».

Producteur : « Lennon/McCartney », on dirait un bureau de notaire. Pis parlons-en de vos chansons… *She Loves You, Love Me Do, Can't Buy Me Love,* les textes, c'est pas fort. Mais comme vous chantez tous en même temps, on comprend rien.

Beatles : Vous exagérez. Dans chaque chanson, il y a un chanteur soliste pis les deux autres appuient avec du vocal.

Producteur : Justement, les deux zoufs qui font des « hou hou » en arrière, ça vient que ça te tombe sur les nerfs. Ce que ça vous prendrait, c'est une chanteuse avec (*il mime une forte poitrine*) quelque chose de substantiel. Ça mettrait vos petites chansons à trois accords en valeur. Pis les guitares, c'est tout croche… Une chance que Ringo est là pour tenir le *beat*. D'ailleurs, Ringo, ça, c'est un nom d'artiste. John, Paul, George, on dirait les apôtres. Pis vos petits habits, vous avez l'air d'une équipe de bowling. Écoutez… Moi j'en ai vu des groupes, je connais ça un p'tit peu, mettons, et vous l'avez pas du tout. Continuez à faire des petits shows, comme des fêtes d'écoles, des affaires de famille.

Beatles : Y est pas question de lâcher. On a assez travaillé fort pour réussir.

Producteur : Ouais, mais des fois, le travail, c'est pas assez, ça prend du talent, de la vision. Non, non, je vous le dis, laissez tomber. *Let It Be !*

Beatles : En tout cas, un jour vous allez entendre parler des Beatles.

Producteur : « Beatles » ? Sais-tu ce que ça veut dire, *Beatles* ? Bébittes à patate. Ça va aller loin, ça !

(John, Paul et George quittent la pièce, furieux. Ringo est le dernier du groupe à passer la porte.)

Producteur : Ringo, reste donc une minute… Ça te tente pas de te partir un autre groupe ?

RONNIE-O-GRAPHIE

Il est une légende du rock, autant à cause de sa carrière que de son casier judiciaire. Il nous fait vibrer depuis des années avec sa guitare, soit par son jeu, soit parce que le son est trop fort.

Entrevue avec Ronnie Dubé.

Ed : Ronnie, on ne connaît pas beaucoup ta vie personnelle. Peux-tu nous en parler un peu ?

Ronnie : Cool ! Je suis né d'une césarienne. Par contre, mon père était québécois. Mes parents se sont séparés quand j'étais ado. C'est ma mère qui a obtenu ma garde. Par contre, elle est allée en appel.

Ed : Est-ce que tu étais un ado difficile ?

Ronnie : Non. Bon, mes parents chialaient parce que ça m'arrivait d'écouter la télé tard la nuit.

Ed : Tous les ados font ça…

Ronnie : C'est que je l'écoutais dans leur chambre.

Ed : As-tu déjà fait une fugue ?

Ronnie : Non, c'est mes parents qui se sont poussés.

Ed : Incroyable ! Mais qu'est-ce qui t'a poussé vers la musique ?

Ronnie : Mes parents. Ils auraient aimé que je fasse de la musique classique, comme Beethoven. C'est quoi son petit nom ? Roll Over. Mais moi, c'était le rock. Je me rappelle, j'ai commencé en chantant sous la douche, pas trop longtemps parce que c'était pas très bon pour ma guitare. On a beau appeler ça une guitare sèche, il faut pas exagérer.

Ed : Tu t'es mis à la guitare très jeune ?

Ronnie : Oui, pis ç'a pas été facile, elle a six cordes et j'ai seulement cinq doigts.

Ed : En plus, tu joues de la guitare du côté gauche.

Ronnie : Ouais, mais j'étais droitier avant. Je suis devenu gaucher à force de me regarder jouer devant le miroir. Puis j'ai commencé à faire des spectacles. On s'était parti un band, on s'appelait Anesthésie locale. C'était pas de la musique que t'écoutais à jeun. Je me souviens de notre premier show, c'était pas facile, y a du monde qui avait demandé à être remboursé.

Ed : Ça arrive à tous les artistes.

Ronnie : C'est parce que c'était gratuit…

Ed : Mais vous êtes devenus très connus. Quel a été l'élément déclencheur ?

Ronnie : On a fait un show à Montréal et on s'est fait voir par les gens du milieu, parce que les gens sur les côtés ne voyaient rien. Et vers la fin, j'ai lancé ma guitare dans la foule. Le monde a viré fou. Le problème, c'est que l'ampli a suivi. Ça fait qu'on s'est retrouvés en première page. C'est la première fois qu'on parlait de nous autres.

Ed : Selon toi, qu'est-ce qui faisait votre force en tant que groupe ?

Ronnie : On avait un bon leader et un bon dealer.

Ed : Mais vous n'étiez pas des vedettes instantanées.

Ronnie : C'est encore drôle, avec toute la poudre qu'on prenait, on aurait seulement eu à ajouter de l'eau. (*rire*)

Ed : Vous avez eu des démêlés avec la drogue ?

Ronnie : Oui, on était assez mêlés. Si c'est vrai que la drogue brûle des cellules, on a été chanceux de ne pas passer au feu. Je me rappelle qu'il y a des grands bouts dont je ne me rappelle pas.

Ed : Mais pensiez-vous à une carrière internationale ?

Ronnie : C'est sûr. Juste pour les droits d'auteur, c'est une autre planète. Comme aux États-Unis, si tu fais un gros hit, tu peux en vivre le reste de tes jours. Chez nous aussi, à la condition de mourir dans la même semaine.

Ed : Pourquoi vous n'avez pas tenté l'aventure ?

Ronnie : Il aurait fallu passer aux douanes.

Ed : Oui, c'est sûr que ça freine un peu. Mais à qui comparerais-tu ton groupe, sans insulter personne ?

(Ronnie est tombé dans la lune.)

Ed : Ronnie ? RONNIE !

Ronnie : Oh, je pense que je viens de faire un petit ACV. C'est mon deuxième cette semaine…

Ed : On peut arrêter l'entrevue…

Ronnie : Non, non, c'est peut-être juste la digestion. C'était pas une bonne idée d'acheter des sushis sur eBay.

Ed : Bon, euh, on accuse souvent les gens du monde du rock de ne pas s'intéresser à la culture, de propager le machisme, d'être un peu rustres, de faire dans le raccourci et de…

Ronnie : *(le coupe)* C'est correct, j'ai compris. Mais c'est pas vrai du tout. Comme moi, je m'intéresse beaucoup à la culture, que ce soit hydroponique ou autre. Je travaille mon français, non mais c'est important de bien s'exprimer, comme ça, ça paraît moins si t'as rien à dire. Aussi, je me suis inscrit à des cours du soir. Malheureusement, je me suis fait mettre dehors, je me levais toujours en retard.

Ed : Est-ce que tu lis la musique ?

Ronnie : Pas beaucoup, je lis surtout les paroles. En plus, je suis allé voir du théâtre, des grands classiques comme *Un vendeur Amway nommé désir*. En plus, je suis allé voir *Casse-Noisettes*. J'ai été un peu surpris de voir que c'était un ballet classique. Je pensais que c'était le surnom d'un danseur nu. Je suis beaucoup plus cultivé qu'avant. J'ai longtemps pensé que le méridien de Greenwich était un hôtel. Je pense que la meilleure preuve que je suis plus cultivé, c'est que maintenant, quand j'ai un gaz, ça fait « Proust »…

Ed : Tu n'as jamais beaucoup parlé de ta vie amoureuse.

Ronnie : C'est parce que j'ai de la difficulté à trouver les mots.

Ed : Trop d'émotion ?

Ronnie : C'est surtout à cause de mon manque de vocabulaire. Mais c'est assez tranquille côté affectif.

Ed : Pourtant, tu es dans un monde « sexe, drogue et rock and roll ».

Ronnie : Tu peux enlever le sexe. Mais c'est sûr que j'aimerais ça rencontrer la femme de ma vie, avoir des beaux enfants, quitte à les adopter. Mais les problèmes amoureux m'ont inspiré mes meilleures chansons, comme *Elle était là*.

Elle était là, là dans mon lit
Elle était là, son frère aussi
Je lui ai demandé, sais-tu qui je suis
Tu es celui qui cherche l'amour

J'en ai une autre aussi :

On est ensemble depuis quelques minutes, et déjà tu
veux t'en aller
Tu te fous bien de la bière que je t'ai payée
Nous pourrions être si heureux, toi et moi
Fais attention, tu renverses ta bière sur moi.

Ed : J'ai les mains occupées, donc je ne peux pas applaudir, mais c'est très bon.

Ronnie : Je te remercie. J'en ai une autre…

Ed : Euh, on va passer à autre chose. As-tu des préoccupations sociales ? Comme l'environnement, le réchauffement climatique ?

Ronnie : C'est pas évident, parler du réchauffement quand t'es gelé. Mais depuis quelques mois, je fais mon compost. La première bouchée est difficile, mais on s'habitue.

Ed : C'est important pour toi de manger santé, de faire attention ?

Ronnie : C'est sûr. Par contre, ça fait longtemps que j'ai pas passé un examen médical. C'est parce qu'il faut être à jeun 12 heures avant. Mettons que ça n'adonne pas souvent. Mais je me suis pris en main, je fais du sport.

Ed : Tu fais quoi comme sport ? Du ski ?

Ronnie : Non, le ski, c'est fini pour moi. J'ai compris que quand tu fonces dans un arbre, ça ne porte pas vraiment chance de toucher du bois. Non, moi, c'est la randonnée, la marche, et surtout la promenade.

Ed : On ne parle pas de sport extrême…

Ronnie : Ça dépend dans quel quartier tu marches. Aussi, j'ai un bon sommeil, je dors deux-trois heures par jour, sans compter la nuit. Et surtout j'ai un nouveau dealer bio.

Ed : T'as pas peur que la drogue finisse par t'affecter entre les deux oreilles ?

Ronnie : Ah, je garde mon esprit alerte.

Ed : Tu fais des mots croisés ?

Ronnie : Non, moi c'est le jeu des 7 erreurs. C'est très difficile si tu prends un seul dessin.

Ed : Revenons au métier, tu as sûrement des idoles parmi les autres rockers ?

Ronnie : C'est sûr. Je pense en premier à Elvis, le King, même si je n'ai jamais été un fan du gros Elvis, un gros fan d'Elvis, pardon. Il est mort dans sa salle de bain, donc on peut dire que le King est mort près du trône. Ensuite, Kiss. J'ai toujours aimé leur sobriété, pis le guitariste, très spécial. Disons qu'il n'a pas besoin d'être fatigué pour avoir la langue à terre. Évidemment, Ozzy Osbourne. D'ailleurs, quand j'ai écouté sa télé-réalité, je me suis aperçu que j'avais une famille normale.

Ed : En terminant, des projets d'avenir ?

Ronnie : Oui. J'aurais aimé ça me retirer en pleine gloire, mais je le sais pas si je vais être capable d'attendre. Et aussi, j'ai commencé à magasiner pour des régimes de retraite. J'te dis que t'as pas grand-chose pour cinquante dollars…

Ed : Merci Ronnie d'avoir été ici, même si tu n'étais pas là.

FAITS DIVERS

EMBOUTEILLÉ À MONTRÉAL

Une des choses que je déteste le plus, c'est d'être pris dans un embouteillage. Comme la plupart des gens, il m'arrive alors de perdre mon calme, comme en fait foi ce texte qui pourrait être autobiographique.

Conducteur: (*klaxonne*) Envoye, avance, idiot! C'est l'autre pédale, le gaz, le zouf! En plus, il a une plaque du Vermont, ils font venir du monde d'ailleurs pour bloquer les routes, ça va bien. Comment ça se fait que c'est encore bloqué, ce pont-là? Je vais aller voir sur Internet.

(Il consulte son iPhone.)

Ah, c'est ça, ils peinturent les lignes. Quelle excellente idée! Profitez-en pour donner deux couches. On a le temps. En plus, je dois être à la veille de manquer d'essence, j'en ai mis seulement pour 60 dollars ce matin, quoique, arrêté comme ça, je pourrais aller en siphonner un autre. Il ne manquerait plus qu'un squeegee vienne salir mes vitres pis ce serait la totale.

(Il observe la voiture voisine.)

Regarde mon épais, un aileron arrière sur une Yaris… Savais-tu que ça fait effet à 280 kilomètres heure, pas à 280 par semaine… Bon, il se met les doigts dans le nez. Rentre-le plus creux, y a de la place en masse, y a rien dans tête !

(Il klaxonne le conducteur devant lui.)

Grouille, l'épais !

(On klaxonne derrière lui. Il se retourne vivement.)

Es-tu fou ? Tu vois ben que c'est bloqué ! Respire par le nez ! Maudit qu'y en a qui savent pas vivre…

(Il klaxonne encore.)

Allume, le gros ! Oh, il débarque… Vite, barrer mes portes, et je vais mettre mes verres fumés, il ne frappera pas un gars avec des lunettes. Voyons, il est où ? Ah, il se bat avec un autre…

(Son téléphone sonne, il ne réagit pas. Le téléphone sonne encore.)

Ben, répondez, quelqu'un ? Ah, c'est vrai, c'est le mien ! Oui, allô ? Je le sais que je suis en retard, je suis pris dans le trafic depuis trois heures. Je suis à la veille d'être obligé de me refaire la barbe. Je suis sur le pont, pour sortir de la ville, ça a bien été. Je suis passé par la piste cyclable. Inquiète-toi pas, ils se tassaient. Ah, je le sais que c'est stressant, il y en a un qui a voulu se battre tantôt. Il s'est calmé assez vite. Je devrais être là vers sept heures, neuf heures et demie. Je ne peux pas dire quel jour…

LE CHÔMAGE À LA LOUPE

Le gouvernement fédéral part à la chasse aux chômeurs saisonniers et a engagé une escouade de fonctionnaires pour les débusquer.

Voyons de plus près les fruits de cette stratégie en suivant un fonctionnaire en mission chez un chômeur…

Bonjour monsieur! Tout d'abord, mes félicitations, vous avez été choisi parmi des millions de chômeurs canadiens pour une révision de dossier. Pardon? Non, je n'ai pas votre chèque avec moi. Je suis ici pour vérifier que vous faites des recherches d'emploi et justement, que vous soyez chez vous à cette heure de la journée, ce n'est pas bon signe. D'ailleurs, j'ai votre dossier ici et je vois que vous travaillez cinq à six mois par année et passez le reste sur le chômage et ce, depuis plusieurs années. Donc, on parle d'un récidiviste.

Vous êtes travailleur saisonnier? Qu'est-ce que vous faites comme travail? Le Bonhomme Carnaval? Serveur à l'hôtel de glace? Vous vivez de la pêche. Je commence à avoir une idée de qui est le poisson… Il va vous falloir penser à autre chose. (*Il regarde à l'intérieur.*) En plus, on ne se prive de rien, une table, deux chaises… Je gagerais que vous avez un lit avec ça.

Écoutez, j'ai passé la dernière semaine assis dans mon auto à surveiller votre maison, et vous ne sortez pas souvent pour des recherches d'emploi. Ah, vous faites ça au téléphone… C'est que votre téléphone est sous écoute et à part de faire venir de la pizza, vous n'avez fait aucune recherche. Il va falloir que vous fassiez des efforts.

Je suis certain que vous vous dites : comment puis-je être avantagé de travailler à 100 kilomètres de chez moi pour un salaire inférieur de 30 % ? Vous, je le sais pas, mais à moi, ça me donne une prime au rendement.

Il va falloir réviser vos critères et élargir vos horizons. Comme par exemple, vous pourriez travailler dans le domaine de la recherche spatiale : vous vivez déjà sur le bras canadien…

ENSEIGNEMENT EXTRÊME

Bonjour chers élèves, je vous en prie, restez couchés. J'aimerais commencer cette heure de cours en parlant de certains de vos agissements, car depuis que la cafétéria a un permis d'alcool, la situation s'est envenimée. Envenimée veut dire « plusse pire ». En passant, pendant la récréation, tantôt, vous irez détacher le concierge, et ce serait gentil de lui redonner ses vêtements.

Tout d'abord, il y a la question des absences non motivées. Comme toi : tu as manqué toute la semaine dernière, tu vas me dire que c'est parce que ton cadran n'a pas sonné ? Tu as un billet de tes parents ? J'aimerais bien voir ça.

(Il prend le billet et le lit.)

« Mon fils n'a pu aller en classe la semaine dernière, car il subissait son enquête préliminaire. Dépendant des résultats de l'autopsie, il se peut qu'il s'absente encore. »

Euh, ça va aller pour cette fois… Bon, il y a Bernier qui s'est endormi, pouvez-vous ouvrir la fenêtre pour l'aérer un peu ? *(Bruit de vitre cassée)*

J'ai pas dit de le passer par la fenêtre! En plus, il ne s'est même pas réveillé…

Mais j'en venais justement à parler de vandalisme. Au début de l'année, il y avait une belle horloge neuve dans la classe, et maintenant il n'y a même plus d'aiguilles dedans, pouvez-vous me dire ce que vous faites avec ça? En passant, Dubreuil, une cravate ne se porte pas autour du bras.

Maintenant, pour ce qui est de vos notes, ça ne vole pas haut. Il y en a des pires, comme toi Hamelin, pour la rédaction de français, depuis que je n'accepte plus les dessins, on te sent un peu démuni. J'ai lu ta dernière rédaction, tu n'as écrit que deux mots et tu as réussi à faire une faute. *Fuck you* ne s'écrit pas ensemble.

En science, c'est encore pire. À la question «À quel degré l'eau bouille-t-elle?», tu as répondu «À *high*». Alors toutes ces bonnes réponses te méritent une note de 42 %… (*Bruit de chargeur de fusil*) Euh… disons 65. Allons-y pour 80. On ne commencera pas à se descendre. D'ailleurs, tu as réussi dans toutes tes matières et les autres élèves aussi. Je vous en prie, restez derrière les barbelés.

Alors, voilà, c'est déjà terminé pour aujourd'hui. On se revoit demain si l'école est encore là…

L'EX À J.K.

Tout le monde connaît J.K. Rowling, l'auteure d'Harry Potter. Ce qu'on sait moins, par contre, c'est que son mari l'avait quittée quelques mois avant son immense succès, et pas de la manière la plus élégante. Bref, il l'avait sacrée là, mais vu la suite des choses, il a sûrement eu des regrets, comme en fait foi cet appel de sa part que j'ai réussi à retracer…

Allô! Ça va, toi? C'est moi, Richard. Ton ex. Eh, ça fait longtemps que je voulais t'appeler, je suis tellement content de ton succès. Ça marche du tonnerre avec ton *Henry Butler*, *Potter*, excuse. J'étais certain que tu deviendrais super connue.

Non, je ne me rappelle pas avoir dit que c'était insignifiant. Au contraire, j'en ai même lu un bout et, euh, y a du travail là-dedans. C'est des livres assez épais, quand même. Y a des bonnes idées, même que je sens que je t'ai inspirée. Bien, le méchant me ressemble pas mal.

Écoute, j'appelais pour prendre de tes nouvelles. Je pense souvent à toi. Non, pas seulement les fins de mois. Je me disais que ça serait bien si on se voyait pour aller manger, un de ces soirs. T'as pas faim ? Ce que je veux dire, en fait, c'est que j'aimerais ça qu'on se parle…

C'est parce que j'ai beaucoup pensé à nous, et je me disais, ce qui a fait qu'on s'est séparés, c'est le manque d'argent. On était toujours pris à la gorge. Ça use un couple. Oui, le fait que je sois parti avec Natasha n'a pas aidé. Oui, ses implants vont bien, ils te font dire bonjour.

Franchement, je suis très déçu que tu penses ça de moi. Je ne t'appelle pas du tout pour t'emprunter de l'argent. Non, je me demandais si tu ne pourrais pas m'endosser ?

Allô… Allô ?

LE LENDEMAIN
DE VEILLE DE JACK BAUER

Nous retrouvons notre héros le lendemain d'une autre aventure de 24 heures. Il se lève après quelques trop courtes heures de sommeil, encore fourbu des exploits de la veille…

Oh, que je suis crevé à matin, j'ai mal partout. Je devrais peut-être commencer à prendre de la glucosamine, je me sens les os vides. Je commence à penser que c'est plus de mon âge. Passer une nuit blanche à courir après des terroristes, c'est bien beau de sauver le pays, mais qu'est-ce que ça me rapporte ?

Bon, le président m'a donné une petite tape sur l'épaule pis il m'a serré la main pour me remercier, mais je me serais attendu à plus. Quand même, ça fait une couple de fois que je lui sauve la vie. Ça aurait été le fun qu'il me propose une augmentation de salaire, ou au moins qu'il me paye mes heures supplémentaires…

Une chose est sûre, je ne rentre pas au bureau aujourd'hui. Je vais passer une journée pyjama, je vais prendre mon café en faisant mes mots croisés, ah pis, allons-y mollo, mots cachés, tiens.

Oh, je sens le fauve. C'est vrai que j'ai pas eu le temps de prendre une douche, hier. J'ai pas eu le temps de manger non plus. Pourtant, je me regarde pis on dirait que j'ai engraissé. J'ai pas un bon teint non plus, ça doit être mon foie. Il faut que je fasse plus attention à moi.

Comme hier, j'ai encore passé je sais pas combien d'heures sur le cellulaire, ça doit être pour ça que j'ai mal à la tête aujourd'hui. Ça m'étonnerait pas que je sois sur le bord de pogner un cancer du cerveau. Eh que j'ai les idées noires quand je suis brûlé.

Y a pus rien dans le frigo. Hier, quand je courais après l'Arabe qui voulait faire sauter le pays, je suis passé devant une épicerie, j'aurais dû arrêter. Quoiqu'après ça, ils ont fait sauter mon jeep. J'aurais tout perdu. Il va falloir que j'appelle le garage pour leur dire, ils voudront pus rien me louer. Je les appellerai demain, j'ai pas le goût de me faire engueuler aujourd'hui.

Je pense à ça, il faut que j'appelle Francine, elle doit être bleue. On était censé souper ensemble, hier. Qu'est-ce que je vais y dire ? Je peux pas lui conter ce qui m'est arrivé, c'est des secrets d'État. De toute façon, même si je lui contais, elle me croirait jamais. Hey, je me suis fait torturer, ils m'ont shooté à l'héroïne, j'ai sauté d'un avion, mon jeep a explosé, j'ai tué 20-25 personnes pis en plus, j'ai égratigné ma montre.

Non, si je veux avoir une relation avec quelqu'un, il faut que je change de job. Les horaires ont pas d'allure et les missions qu'ils me donnent, il me semble que ça empire. Au début, c'était plus mollo, les alertes étaient moins grandes, comme la fois où le président s'était étouffé avec des bretzels. Ça prend-tu un épais… J'avais été obligé de lui mettre le doigt dans la gorge pour y faire sortir ça. En plus, il m'avait mordu, l'abruti.

Ça me prendrait une petite job pépère. Comme agent de sécurité dans un centre d'achats ou un parking…

Bon, le voisin qui écoute sa télé à tue-tête! Ça fait 100 fois que je lui dis de baisser le son. Si j'étais pas si fatigué, j'irais lui en sacrer une, juste pour lui montrer qu'on ne niaise pas Jack Bauer!

INSALUBRITÉ

Je sais pas si vous vous souvenez quand on voyait, dans le journal du samedi, la liste des restaurants accusés de malpropreté. Disons que ça devait être dur sur une clientèle…

La scène se passe dans une cuisine sale. Le téléphone sonne. Le cuisinier répond.

Oui, allô ? Oui, c'est le restaurant. La réservation pour 12 personnes ce soir, tout est beau. Comment ça, « annulée » ? Dans le journal, y disent que notre restaurant est pas propre ? Heille !

(Bruit de trappe à souris. Le cuisinier dit à un collègue :)

On vient d'en attraper un, là. Oui, mais enlève-le de la trappe si tu veux en avoir d'autres.

(Il revient à son client.)

Oui, oui, la viande vient du boucher, les toilettes aussi viennent de boucher. Oui, dans le gâteau, c'était pas vraiment tous des raisins. Mais y en a des bien pires que nous autres : le Chinois en face, c'est pas pour rien qu'il a toujours le gros sourire, il le sait ce qu'il y a dans la sauce. Ben, c'est pour ça qu'il mange avec des baguettes. Il veut pas y toucher non plus.

Ils disent qu'on a des coquerelles ? Oui, mais ça, des coquerelles, c'est parce que c'est dur à attraper. Pis à part de ça, ils en servent à manger à l'insectarium. Moi, c'est juste que j'ai pas eu le temps de les tremper dans le caramel.

Quoi ? Si on a des excréments de rongeurs ? Attends un peu, je vais aller voir sur le menu…

MONSIEUR MÉTÉO

J'ai toujours trouvé que les prédictions de la météo ressemblaient à l'astrologie par leur côté approximatif. Chaque année, vers la fin mars, un expert vient nous donner ses prédictions météo pour l'été qui s'en vient. Évidemment, c'est toujours n'importe quoi.

Un homme vêtu d'un imperméable dégoulinant, Maurice, sonne à la porte de M. Météo, qui lui ouvre. En plus d'une expression peu commode sur son visage, Maurice porte un étui à violon sous le bras.

M. Météo: Oui?

Maurice: C'est toi, ça, Robert Ouimet?

M. Météo: Oui.

Maurice: On parle bien du Robert Ouimet qui travaille à Météo Canada?

M. Météo: Oui, oui.

Maurice: Donc je suis bien en présence du crétin qui a dit au mois de mars qu'on aurait un été chaud et sec?

M. Météo: Je ne me rappelle pas trop…

Maurice: Ben moi, je m'en rappelle. Imagine-toi

que j'arrive de quatre jours de camping à la pluie battante avec deux enfants. As-tu une idée de ce que c'est? Guantanamo, c'est un Club Med comparé à ça. Et ce qui est super quand il y a de la pluie comme ça, c'est qu'y a presque pas de maringouins. Un soir, je suis sorti de la tente pour aller pisser, ça a pas pris deux minutes, je me suis ramassé avec une vingtaine de piqûres, où tu penses? Pis c'étaient des gros maringouins, j'en ai frappé un avec mon auto, ç'a fait ouvrir le coussin gonflable. Alors, j'ai pensé beaucoup à toi pendant ces quatre jours-là, mon Ouimet.

M. Météo: Ah oui? Très bien.

Maurice: T'as une belle maison, t'as l'air bien payé pour un gars qui dit des niaiseries. Tu vis tout seul?

M. Météo: Oui, ma femme est partie.

Maurice: Pis je suppose qu'il va faire beau avant qu'elle revienne…

M. Météo: Écoutez, je vous comprends d'être déçu, mais la météo, c'est pas une science exacte.

Maurice: Exact, la météo, c'est pas une science. Non mais, sérieux, mon Ouimet, comment tu fais pour pouvoir dire le temps qu'il va faire dans trois mois? La grenouille avec le bocal? T'analyses le vol des hirondelles? Tu lis les entrailles de mouton? Je pense que même pour dire le temps qu'il a fait hier, tu te tromperais. Je vais te simplifier la vie : il fait beau ou il fait pas beau, alors tire ça à pile ou face, ça te permettrait peut-être de viser juste de temps en temps.

M. Météo : Vous êtes de mauvaise foi, j'ai quand même fait des études assez poussées dans le domaine. J'ai une maîtrise en météorologie.

Maurice : Ah oui ? T'as dû copier sur quelqu'un. Pour ton information, le soleil c'est la grosse affaire jaune qu'on voit des fois. Alors quand il est pas là, t'en parles pas.

M. Météo : Vous savez, c'est très difficile de prédire précisément le temps qu'il va faire et...

Maurice : À ce moment-là, pourquoi tu la fermes pas, ta gueule ?

M. Météo : Comme je vous ai dit, je comprends votre déception, mais je ne peux jamais garantir le temps qu'il va faire.

Maurice : C'est sûr que c'est pas de ta faute si y a mouillé, mais c'est de ta faute si je pensais qu'il était pour faire beau, par exemple.

M. Météo : (*n'a pas trop saisi*) Oui, sans doute. Mais laissez-moi tenter de me justifier quand même...

Maurice : Je te donne 15 secondes.

M. Météo : Bon, cette année, nous vivons une année avec un très fort El Niño...

Maurice: El Niño! Le Bonhomme Sept-Heures de la météo! OK, je l'attendais, celle-là! Ça c'est l'excuse parfaite. Je peux dire n'importe quoi, y a El Niño. C'est un peu comme «le chèque est dans la malle». J'ai une roche dans le soulier? C'est El Niño. Il y a des grumeaux dans les patates pilées? C'est El Niño.

M. Météo: Je ne vois pas où vous voulez en venir...

Maurice: Effectivement, tu ne vois pas venir grand-chose.

M. Météo: Pour votre information, El Niño est un courant chaud dans l'océan Pacifique qui a d'énormes incidences en ce qui a trait à la température.

Maurice: Dans le Pacifique? Et c'est ça qui a fait qu'y a mouillé toute la semaine dans le parc de la Mauricie? Mais là, j'en ai assez entendu... C'est à ton tour d'y goûter.

(Maurice fait mine d'ouvrir son étui à violon. L'autre s'inquiète un peu.)

M. Météo: Calmez vous, vous n'avez plus toute votre tête!

Maurice: Je te dis que t'as le tour de me mettre sur ton bord.

M. Météo: Ne posez pas un geste que vous pourriez regretter!

Maurice: Aie pas peur, je le regretterai pas...
Tiens!

(Maurice sort une mitrailleuse à eau de son étui et la pointe vers l'homme avant de se mettre à l'asperger copieusement.)

M. Météo: Non!!!

Maurice: Comment tu trouves ça, te faire mouiller, toi aussi? Trouves-tu ça «chaud et sec»?

VOYAGES
(ET DOUANE TANAMÉRA)

Il y a les voyages plus culturels, qui nous donnent une leçon d'histoire, comme ceux que l'on peut faire en Italie. Je me rappelle de notre voyage à Venise... Extraordinaire. C'est sûr que c'est très cher, mais il y a moyen de se débrouiller. Comme on visitait beaucoup le jour, alors on en profitait pour sous-louer notre chambre d'hôtel. On a même fait un certain profit. Mais comme on a pu s'en rendre compte, ce n'est pas une bonne idée de louer un sous-sol.

Il y a aussi les destinations exotiques, telle que l'Asie, plus particulièrement le Vietnam. C'est incroyable comme pays, et y a du monde. C'est à se demander comment les Américains ont perdu la guerre... Même pas besoin de viser, y sont partout. Ils se promènent tous en vélo ou en moto, et ils transportent tout là-dessus.

Page suivante, on peut voir une moto avec trois porcs. C'est peut-être le seul moyen que ce Vietnamien a trouvé pour avoir des sièges en cuir. C'est moins sévère comme lois sur la route. Ici, en moto, le port du casque est obligatoire ; là-bas, les porcs n'ont pas de casque...

Mais aller au Vietnam, c'est long : 18 heures de vol. Mais si tu ne conduis pas, c'est pas si mal. Je

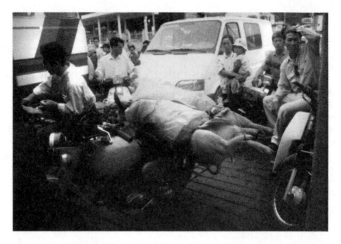

Une manière comme une autre d'avoir des sièges en cuir…

me rappelle, on avait fait une escale à Dubaï et, à la boutique hors taxe, ils vendaient des Mercedes. On est loin de la bouteille de parfum ou du 26 onces de Baileys…

Évidemment, il y a aussi les destinations soleil, particulièrement prisées chez nous à cause de notre hiver rigoureux. Ça fait partie de notre sudconscient. D'ailleurs, les vacanciers ont tellement hâte de partir que c'est au décollage qu'ils applaudissent dans l'avion…

Ma destination tropicale préférée demeure le Mexique. Un grand pays, avec beaucoup d'histoire, et je ne parle pas de « Une fois c't'un gars qui arrive au bar… » On parle de la civilisation maya, avec ses pyramides aux escaliers tellement abrupts, idéaux pour jouer au Slinky, mais extrêmement dangereux. On parle aussi de toutes ses guerres d'indépendance avec des héros comme Emiliano Zapata, Pancho Villa et le plus grand de tous, Zorro. C'est un pays qui attire un gros bassin de touristes. Dans certains cas, on parle plutôt de touristes au gros bassin.

On va au Mexique pour la mer et ses plages. Du côté du Pacifique, les vagues sont immenses. Je vous recommande la prudence, car j'ai moi-même été pris dans le tourbillon d'une très grosse vague. Je me suis retrouvé la tête plantée dans le fond avec la moitié de la plage dans mon maillot. Le maillot s'étant un peu étiré, il m'a servi de hamac pour le reste du voyage.

Il y a toujours de la musique sur la plage. Ici, à droite, on peut voir les caisses de son. Quand ils mettent le volume à fond, il n'y a plus de marée haute.

On va aussi au Mexique pour la montagne. Dans certaines parties du pays, il y a d'immenses montagnes à perte de vue, la nuit surtout.

Belle vue sur les montagnes, mais je ne sais pas comment j'ai réussi à me photographier les dents là-dessus. C'est une manie que j'ai, de prendre des photos la bouche ouverte…

Au Mexique, la nourriture est excellente. On pense aux empanadas, tortillas, ceviche… Par contre, je vous recommande d'être vigilant, car ils mettent souvent beaucoup de piments très forts. On peut vite passer de nourriture tropicale à nourriture trop piquante. Je l'ai moi-même vécu. Dès la première bouchée, mes plombages ont fondu, mais j'ai fait comme si de rien n'était et les yeux pleins d'eau, je me suis commandé un extincteur pour dessert.

Côté hébergement, il y en a pour tous les goûts. Pour ma part, j'avais une chambre moderne avec un minibar près du lit, ce qui est mieux qu'un minilit près du bar.

Économiquement, le Mexique se débrouille assez bien. En plus du tourisme, il est un grand producteur de gaz naturel, ce qui n'est pas étonnant car les gens mangent tellement de féculents... C'est aussi un gros producteur de pétrole. Malheureusement, cette industrie a causé quelques marées noires dans le golfe du Mexique. Avant, on y allait pour faire le vide ; maintenant on peut faire le plein. Le gouvernement a réagi en établissant plusieurs plages non-fumeurs. Il fait aussi une incursion dans le nucléaire, plus ou moins réussie.

Première centrale nucléaire du Mexique,
installée en rase campagne.

Malheureusement, cette centrale a eu des fuites de radiations qui ont affecté l'environnement, particulièrement la ferme voisine.

Il ne souriait pas beaucoup sur la photo et pour cause : on le voit ici au retour de sa visite chez le dentiste, en train d'inspecter ses olives.

Une visite qui a dû faire plaisir à la fée des dents…

Heureusement, sa famille n'a pas été affectée.
On voit ici ses deux filles de 12 et 6 ans.

Évidemment, beaucoup de préjugés circulent à propos du Mexique… On lui prête une réputation de violence. Bon, c'est très exagéré. Il est clair qu'il vaut mieux éviter certains endroits et faire preuve de prudence. Ainsi, ce n'est pas une bonne idée de se retrouver sur la rue après minuit dans un quartier mal affamé en demandant de la monnaie pour 100 $. Vous allez vite vous rendre compte qu'il n'y a pas que l'acné qui peut défigurer…

Dans ces quartiers, on dit qu'une personne sur cinq s'est déjà fait attaquer, et la plupart du temps par les quatre autres. Inutile de s'exposer. Mais la violence se passe surtout entre narcotrafiquants. Il existe plusieurs cartels, tous aussi craints les uns que les autres. Parlons un peu de l'un des pires, soit les Zetas. Pour vous donner une idée, quand ils tuent quelqu'un, ils lui font ensuite un Z dans le front avec des clous. Une coche au-dessus de Zorro… Mais ça pourrait être pire : ils pourraient prendre des vis.

On peut toujours tomber accidentellement sur un narco, soit dans un bar, soit sur la rue. À ces moments-là, si vous lui parlez en espagnol, la prononciation est très importante. Il n'y a pas une grosse différence entre *tranquillo* et « trente kilos ». Un petit quiproquo et vous pourriez vous retrouver à faire de la plongée sans bonbonnes…

Dans certaines régions, il y a tellement de
règlements de comptes qu'ils ne prennent
même plus la peine d'enterrer les victimes.

Les routes sont dangereuses au Mexique, pas
tellement à cause de leur mauvais état, mais surtout
à cause de l'alcool au volant. Malgré les barrages
routiers de la police, ce fléau est très répandu et c'est
à se demander s'ils ne donnent pas des amendes à

On voit ici deux livreurs de drogue. Ils livraient
en trente minutes, sinon c'était gratuit.

ceux qui sont en bas de la limite permise. En passant,
soyez toujours très poli avec les policiers. Un de mes
amis s'est fait tabasser par eux et il a compris assez
vite pourquoi ils le surnommaient « Piñata ». Ç'a été
long avant que les bonbons tombent…

On retrouve aussi plein d'espèces nuisibles,
comme des moustiques très voraces, des scor-
pions et, pire encore, les fameux mariachis, dont
leur représentant le plus horrible : le mariachi à
trompette. D'ailleurs, mon voisin de chambre à
l'hôtel avait la tourista et jouait à peu près le même
air dans sa salle de bain.

186

Il faut porter attention à la saison des ouragans, qui peut provoquer de spectaculaires montées des eaux. Il est donc préférable de louer une chambre en hauteur – l'avantage de cette situation étant que vous pouvez suivre des cours de plongée au rez-de-chaussée. Il est étonnant qu'avec toutes ces fortes tempêtes, on n'ait pas songé à installer des éoliennes...

En matière de protection de l'environnement, ce n'est pas évident. Certaines grandes villes n'ont pas d'usine d'épuration des eaux, ce qui nuit à la clarté de l'eau de la mer. D'ailleurs, la capitale, Mexico, est une des villes les plus polluées du monde. Il y a quelques années, l'air était tellement nocif que des oiseaux tombaient raides morts en volant. Ils se sont adaptés : ils marchent maintenant.

En résumé, le Mexique est un pays que les Québécois affectionnent tout particulièrement. Bien sûr, il y a beaucoup de corruption... Mais justement, on s'y sent chez nous.

Avant de vous quitter (je repars à l'instant pour la patrie de Zorro), deux dernières scènes croquées dans ces petits coins de paradis qui, comme vous pouvez le voir, jouissent, malgré leur apparence reculée, de toutes les commodités du monde moderne...

Inauguration d'une glissade d'eau au Yucatan.
Heureusement que c'était sur un terrain plat,
car ça arrêtait assez sec au bout…

On voit ici le maire du village finissant sa ronde de golf.

Un des premiers citoyens à avoir eu l'Internet haute vitesse. L'antenne était tellement puissante qu'il pouvait jaser avec la station orbitale.

REMERCIEMENTS

Je voudrais remercier ma blonde pour les photos contenues dans ce livre (et bien d'autres choses encore) ainsi que mon vieux complice Jean-Pierre Plante.

D. L.

Suivez-nous

Achevé d'imprimer en octobre 2013
sur les presses de l'imprimerie Marquis-Gagné
Louiseville, Québec